LES JOIES PARTICULIÈRES ET LES PROBLÈMES UNIQUES DES

SECONDES ÉPOUSES

Glynnis Walker

LES JOIES PARTICULIÈRES ET LES PROBLÈMES UNIQUES DES SECONDES ÉPOUSES

Traduit par Jean-Pierre Fournier

Je n'aurais pu écrire ce livre sans le soutien et l'intérêt des secondes épouses qui se sont donné la peine de me faire part de leur expérience tout en espérant sincèrement que leur témoignage aiderait d'autres femmes, secondes épouses ou susceptibles de le devenir.

Données de catalogage avant publication (Canada)

Walker, Glynnis, 1951-

La seconde épouse

Traduction de: Second wife, second best?

2-89111-281-4

1. Personnes remariées — Psychologie. 2. Femmes (Épouses) — Psychologie. I. Titre.

HQ1018.W3414 1986 306.8'4 C86-096055-2

Ce livre a été traduit grâce à une subvention
du Conseil des arts du Canada.

Maquette de la couverture: France Lafond

Photocomposition et mise en pages: Helvetigraf, Québec.

Dépôt légal:
3e trimestre 1986

ISBN 2-89111-281-4

TABLE DES MATIÈRES

CHAPITRE 1: Les femmes ne sont pas toutes égales 7
Les mythes • La seconde épouse et les médias • L'enquête • Questionnaire • Qui a pris part au sondage? • Les maris

CHAPITRE 2: La vie de seconde épouse 28
L'instant fatidique • Le mariage et la lune de miel • Qu'importe le nom? • La vie au jour le jour • Les ex-épouses et les enfants

CHAPITRE 3: Une ex-épouse, ça n'existe pas 41
Une rente à vie • L'épouse qui ne décroche pas • Le mari qui ne décroche pas • Les premières épouses amicales • La défunte encore présente

CHAPITRE 4: Cendrillon démasquée 53
La maternité instantanée • Les tiens, les miens, les nôtres: la famille mixte • Épouse ou belle-mère? • Les petits espions de maman • Un enfant à vous • La rivalité et la comparaison • Les problèmes de discipline • Lorsque le père abandonne ses enfants • La capitulation

CHAPITRE 5: Les amis, les ennemis et la famille 70
Les amis • La famille de la seconde épouse • La famille du mari • La famille de la première épouse • Les droits des grands-parents • Les ennemis

CHAPITRE 6: La seconde épouse et la sexualité 80
La fidélité • La seconde épouse et la satisfaction sexuelle • L'infidélité: La seconde épouse et l'infidélité; Les maris et l'infidélité; La première épouse et l'infidélité; Le syndrome du harem • Y a-t-il un héritage sexuel? • L'inceste: Qu'est-ce que l'inceste?; La fréquence de l'inceste

CHAPITRE 7: La seconde épouse et les sentiments 95
La colère • La jalousie et le ressentiment • Autres états affectifs • Le mari et la culpabilité

CHAPITRE 8: La seconde épouse et la débrouille 113
La projection • L'hypocondrie • La réaction adverse • La suppression • Le comportement passif/agressif • Le déplacement affectif • La sublimation • La dissociation

CHAPITRE 9: La seconde épouse et l'argent 130
Le contrat de mariage • Les avantages du contrat de mariage pour la seconde épouse • Les actifs • Les impôts • Les impôts et le partage des biens • L'impôt sur la pension alimentaire • Impôt sur le mariage • Les testaments • L'assurance • Quel sorte d'assurance? Les polices temporaires; L'assurance-vie entière; L'assurance-invalidité; Les pensions de retraite

CHAPITRE 10: La seconde épouse et le divorce 152
Le divorce en perspective • La deuxième épouse et le divorce • Le divorce dans les années 80 • Qui divorce et pourquoi? • La procédure de divorce: Qu'est-ce que la procédure contentieuse; La procédure • Le partage des biens • Pension alimentaire et allocation de subsistance • Les demandes de soutien • Les considérants • Qu'est-ce que le soutien financier? • La deuxième épouse et le soutien • Quoi de neuf en matière de divorce? La médiation; La pension de réadaptation; Des précédents

CHAPITRE 11: Seconde épouse, deuxième choix? 176

CHAPITRE 12: L'Association des secondes épouses d'Amérique du Nord 185

À Stanley, mon premier et unique mari,
de ta seconde et seule épouse.

CHAPITRE 1

Les femmes ne sont pas toutes égales

Un second mariage: le triomphe de l'espoir sur l'expérience.
Samuel Johnson, 1770

Introduction

Les femmes ne sont pas toutes égales, et c'est ce qui m'a fait écrire ce livre. L'inégalité dont je veux parler n'a rien à voir avec la situation économique ou la religion, et elle n'est nullement liée à la race ou à la culture. Elle provient plutôt d'un concours de circonstances.

Malgré les progrès indéniables réalisés par le mouvement féministe, supposément en faveur de *toutes* les femmes, il reste encore des femmes dont les droits sont bafoués. Et celles qui profitent des avantages sociaux et légaux fraîchement obtenus le font souvent aux dépens d'autres femmes. Ces autres femmes, ce sont les secondes épouses.

Pour les besoins de cet ouvrage, disons que la seconde épouse est toute femme qui, quel que soit son état civil, épouse un homme qui a déjà été marié au moins une fois. Elle peut avoir été célibataire (comme l'étaient 61% des femmes interrogées dans notre enquête), veuve ou divorcée (39%).

L'état civil antérieur de la seconde épouse n'influencera pas beaucoup son nouveau statut puisque la majorité des problèmes qu'elle affrontera proviendront du fait qu'elle est la deuxième épouse, plutôt que de son expérience ou de son inexpérience de la vie conjugale. Même les femmes qui ont l'expérience d'un mariage précédent sont souvent mal préparées aux réalités de la vie de seconde épouse.

La femme qui se marie pour la première fois fonde ses attentes sur ce qu'elle a pu observer dans les relations de couples d'amis ou de parents, ou sur sa propre expérience de relations soutenues. La femme qui se marie pour la deuxième fois s'attend généralement à retrouver une situation semblable à sa situation précédente, car, après tout, une épouse est une épouse. Ni l'une ni l'autre n'est prête à ce qui viendra. Ce n'est qu'après le mariage qu'elles verront ce que c'est que d'être une deuxième épouse.

«Qu'est-ce que les secondes épouses ont de si différent?», me demandait-on constamment au cours de ma recherche, montrant ainsi à quel point l'ignorance de ce qui distingue les deux situations est répandue.

Qu'il me suffise de dire que jamais une seconde épouse ne m'a posé cette question. Nous ne les connaissons que trop bien, les différences. Aussi n'étais-je jamais à court de réponses. Depuis toujours, et dans toute société, les secondes épouses passent, aux yeux de la loi, aux yeux de leur mari souvent, et parfois même, ce qui est plus grave, à leurs propres yeux, pour un second choix. Notre société n'est pas tendre à l'égard de ce qui vient en deuxième, et ce dans tous les domaines. À preuve l'une des définitions que donne le dictionnaire Robert au mot «second»: «Qui n'a pas la primauté, qui vient après le plus important, le meilleur...»

Dans une société compétitive comme la nôtre, où chacun doit s'efforcer d'arriver premier, arriver second équivaut souvent à ne pas se classer du tout. Bien souvent, la seconde épouse ne se classe tout simplement pas, au jeu du mariage. Sans égard aux circonstances, notre société tend à considérer le premier mariage, donc la première épouse, comme les seuls légitimes. Tout ce qui vient après est secondaire.

Les mythes

Cette attitude encourage les stéréotypes offensants. Qui n'a jamais rencontré le type parfait de la seconde épouse? Elle se présente en deux modèles de base: la «poule aux gros seins», qui s'emploie à piéger les maris des autres en usant de ses charmes pour les attirer hors du foyer comme on use d'une carotte avec un âne, et l'«aventurière intrigante», qui ne recherche pas tant un homme qu'un bon compte de banque. Ces clichés peu flatteurs font partie de la mythologie populaire, même s'ils n'ont pas grand-chose à voir avec la réalité.

À cause de ces mythes, peu de femmes ambitionnent d'être deuxièmes. Ce n'est pas, comme le mariage, un état auquel aspirent la majorité des femmes. Les problèmes sont énormes et les avantages souvent minces. L'époque où la femme épousait un homme, n'importe lequel, simplement pour qu'on l'appelle «madame» est révolue depuis longtemps. De nos jours, il y a de meilleurs partis que les rescapés des mariages naufragés. Les femmes ne sont plus limitées aux partenaires de leur âge, de leur rang ou de leur race. Elles sont plus ou moins libres d'épouser des hommes plus âgés ou plus jeunes, plus riches ou plus pauvres qu'elles. À défaut de trouver des hommes qui leur plaisent dans leur entourage immédiat, elles peuvent aller chercher ailleurs. Pour ce qui est de s'enrichir en mariant un recyclé, disons que, si telle est votre intention, il serait prudent de ne pas quitter votre emploi tout de suite.

Bien d'autres mythes ont cours à propos de la seconde épouse. Traitée de briseuse de ménage, de voleuse de mari et, ne l'oublions pas, de méchante belle-mère, elle est pourtant souvent victime de circonstances indépendantes de sa volonté. Elle peut être perçue comme «l'autre femme», même après le mariage. Quelle première épouse passe pour «l'autre femme» dans son propre ménage?

Conséquemment, la deuxième épouse est souvent ignorée par la belle-famille, qui l'aurait accueillie à bras ouverts si elle avait été la première. Elle est harcelée par l'ex-épouse, son avocat et sa famille. Elle subit les affronts des enfants du premier mariage dans son propre foyer. De plus, elle aime un homme dont l'orgueil est meurtri par un échec. Elle doit donc faire preuve constamment d'une grande délicatesse, tout en s'efforçant d'échapper elle-même à la culpabilité qui accable son conjoint. S'il lui arrive de ne pas se sentir à la hauteur, on lui conseillera de consulter un spécialiste. Peut-on vraiment croire que quelqu'un puisse rechercher volontairement une telle situation?

La seconde épouse et les médias

Ces stéréotypes sont courants dans l'image qu'offrent de la seconde épouse les livres, la télévision et le cinéma. Et lorsqu'ils ne ressassent pas les clichés habituels à propos de la seconde épouse, les médias l'ignorent totalement. Il est difficile de comprendre qu'à une époque où l'état civil demeure l'un des principaux moyens pour la femme de se définir socialement (en témoigne l'actuel débat sur l'utilisation du titre «Madame» ou «Mademoiselle»), les médias n'attachent aucune importance au statut de seconde épouse, même lorsqu'ils traitent d'une situation où celui-ci peut être déterminant. «Le changement est la plus grande nouvelle du monde d'aujourd'hui, mais nous n'en parlons pas d'une manière adéquate», disait James Reston aux diplômés de l'université Columbia en 1963. Voilà que, vingt ans plus tard, les médias perpétuent les anciennes attitudes plutôt que d'être à l'avant-garde. Ils ne font que rarement état de l'augmentation du nombre des secondes épouses et de leur importance croissante dans notre structure sociale.

Cela ne veut pas dire que les questions touchant les secondes épouses ne sont pas traitées par les médias; elles le sont mais, inévitablement, d'un point de vue qui n'est pas celui de la seconde épouse. Citons une cause de Californie (Sullivan contre Sullivan) concernant une femme qui réclame une part du revenu de son ex-mari parce qu'elle l'a aidé à compléter ses études de médecine. Cette cause fera sans doute jurisprudence.

Au cours de leur enquête, les médias ont interviewé le mari, son ex-épouse, leurs avocats et d'autres personnes intéressées, mais personne n'a approché la seconde épouse du médecin pour connaître son opinion et l'interroger sur les répercussions du jugement sur sa vie et sur son mariage. Se peut-il qu'elle n'ait pas d'opinion? Ou, plus simplement, les médias se sont-ils laissé influencer par l'ancienne conception voulant que les secondes épouses n'aient rien à voir avec ce qui se passe entre leur mari et sa première épouse?

Ainsi, bien souvent, la seconde femme brille par son absence dans les médias, même si elle joue un rôle aussi important dans l'évolution de la société que le père divorcé ou la mère célibataire. En persistant à la traiter comme un être marginal, on renforce l'idée qu'elle n'est pas digne d'intérêt et qu'elle n'est, somme toute, qu'un deuxième choix. Voilà pourquoi on ne cherche à connaître ni son opinion ni ses sentiments, perpétuant le cercle vicieux.

On trouve tout de même dans les médias plusieurs exemples de problèmes et d'expériences vécus par les secondes épouses. Certes, les portraits n'y sont pas toujours flatteurs, mais ils ont le mérite d'attirer l'attention sur la situation de la seconde épouse.

En voici quelques exemples:

DES CENTAINES D'EX-ÉPOUSES RÉCLAMENT DE MEILLEURES PENSIONS ALIMENTAIRES

Des centaines d'hommes sont traînés en cour par leurs ex-épouses, qui réclament plus d'argent au fur et à mesure que l'inflation gruge la valeur des pensions alimentaires adjugées à

la fin des années 70. Les femmes doivent patienter de trois à quatre mois avant d'obtenir un procès, tellement les tribunaux sont surchargés.
Les spécialistes du droit familial ne voient rien d'extraordinaire à une décision de la Cour suprême qui ordonnait hier à un médecin remarié d'Ottawa de verser à sa première épouse la somme de 15 000 $, plus 350 $ par mois en pension alimentaire et 250 $ en assistance pour leurs deux enfants.

Il n'y a peut-être là rien d'extraordinaire en effet, mais pourquoi ne pas signaler que tous les revenus — pas seulement les pensions alimentaires des ex-épouses — sont rognés par l'inflation? Pourquoi n'exposer que la situation de la première épouse, sans parler des répercussions sur la situation des autres personnes concernées, comme l'ex-mari et sa seconde épouse? Une autre histoire sensationnelle au titre tapageur («Un mari poursuit son ex-épouse qui l'a agressé avec une boule de quilles») commet le même péché d'omission. L'article raconte l'histoire loufoque d'un homme qui accuse son ex-épouse de l'avoir attaqué durant son sommeil. La femme se serait introduite dans la maison de son ex-mari, armée d'un pistolet de calibre .22 et d'un marteau, tandis qu'il était allé jouer aux quilles avec sa seconde épouse. Elle aurait attendu que le couple soit endormi avant d'attaquer son ancien mari avec sa propre boule de quilles. Étrangement, l'article ne rapporte aucun commentaire de la seconde épouse. (Il semble peu probable qu'elle n'ait eu rien à dire.)

Le troisième exemple avait pour titre: «Une veuve doit subvenir aux besoins de la première épouse de son mari.»

La riche veuve d'un directeur de compagnie d'assurance a reçu l'ordre de verser 1 300 $ par mois à la première épouse de son mari parce que celui-ci n'avait rien prévu pour elle dans son testament même si leur union avait duré vingt-six ans.
La première épouse, infirmière à la santé fragile, dépendait de l'assistance sociale.

Il ne fait pas de doute que la première épouse de cette histoire mérite notre sympathie, mais le journaliste omet certains faits dans son article. Il laisse entendre que la seconde épouse est opportuniste. Il la qualifie de «riche», cite une série de legs qu'elle a reçus de son mari et révèle le montant d'assurance-vie qu'elle a touché. Il ajoute qu'elle a pu payer comptant une maison de 195 000 $ et qu'elle y élève un enfant de son premier mariage. L'auteur de l'article a interviewé la première épouse, qui lui a confié que l'expérience avait été «épouvantable» en cour et disait que la décision du juge, sans l'«enrichir», la mettait au moins «à l'abri du besoin». L'auteur n'a manifestement pas une très haute opinion de la seconde épouse. Il ne s'est pas donné la peine de la contacter ni de rapporter sa version des faits (il est apparu plus tard qu'elle se serait volontiers soumise à ses questions). Il précise cependant qu'elle a réduit, à la mort de son mari, le montant de la pension alimentaire qu'il versait à sa première épouse. (Faut-il en conclure que, selon l'auteur, la seconde épouse est moralement et légalement tenue de continuer à verser à la première une pension alimentaire même après la mort de son mari?) Par ses omissions, l'article donne à entendre que la seconde épouse a fait irruption dans la vie de son mari à sa dernière heure à seule fin d'hériter. Il renforce ainsi un vieux stéréotype discriminatoire.

Les ex-épouses suscitent plus d'intérêt que les ex-maris ou les secondes épouses. Elles sont souvent présentées de façon à gagner la sympathie des lecteurs, même lorsqu'elles sont l'auteur du drame plutôt que la victime.

Dans un autre article intitulé «Quinze mois de prison pour des appels de menaces», on raconte l'histoire d'une femme qui avait l'habitude d'appeler son ex-mari et sa seconde épouse pour proférer des menaces. Paradoxalement, elle n'en a pas moins réussi à s'attirer la sympathie non seulement de l'auteur de l'article, mais du juge lui-même. Ainsi:

> *«Cette femme n'a pas eu la vie facile», a affirmé le juge de la Cour suprême.*
> *Même s'il éprouvait de la sympathie pour l'accusée, le juge l'a condamnée à quinze mois d'internement dans une maison de correction pour ses délits.*

L'élément le plus incriminant, semble-t-il, c'est qu'elle avait déjà été condamnée cinq fois auparavant pour harcèlement. Le juge a dit douter «qu'elle ait jamais eu l'intention de mettre ses menaces à exécution». Elle s'est expliquée, disant qu'elle avait eu à traverser une époque «difficile». Ni l'ex-mari ni son épouse n'ont livré leurs commentaires, à moins qu'on ne les ait jugés sans intérêt.

L'exemple suivant a un titre plutôt accrocheur: «Policière, ex-bunny, condamnée à vie». L'exemple est trop tragique pour être drôle. Le ton du reportage est quand même un peu ridicule, surtout au début. Il révèle aussi une tendance à verser dans le stéréotype discriminatoire lorsqu'il est question de la seconde épouse.

MILWAUKEE (UPI) — Une ex-bunny de Playboy, officière de police, a été condamnée à la prison à vie pour avoir tué la première épouse de son mari. Elle voulait apparemment mettre fin aux tracas financiers de ce dernier.
Après trois jours et demi de délibérations, le jury a conclu que Lawrencia Bembenek, 23 ans, s'était introduite dans la demeure de l'ex-épouse de son mari, vêtue d'un survêtement vert et d'une perruque, pour la tuer d'un coup de revolver.
Le procureur a soutenu que Bembenek avait tué Christine Schultz en mai dernier parce qu'elle ne pouvait tolérer que son mari lui verse une pension alimentaire pour ses enfants.
«C'est l'un des cas les plus bizarres que j'aie vus, a affirmé le juge Michael Skwierawski. Il comportait plusieurs preuves dont chacune, prise séparément, n'aurait pas suffi à faire condamner l'accusée. Mais en en faisant la somme, le jury ne pouvait arriver à une autre conclusion.»
«La preuve était lamentable», a dit l'avocat de la défense, Donald Eisenberg.
Il soutient que la police a «mal fait son enquête» et croit que sa cliente est victime d'un «coup monté». Pendant le procès, il a même tenté de reporter les soupçons sur l'un des témoins.

Dans une affaire aussi grave, on a du mal à comprendre que la presse n'ait pu faire mieux que de ressasser grossièrement tous les stéréotypes de la seconde épouse. La description qu'on a faite de l'accusée tenait à la fois du personnage de bande dessinée et de la vamp (comme le montre l'emploi, côte à côte, des mots «policière» et «ex-bunny»). En quoi le fait qu'elle ait été «bunny» au club Playboy influençait-il la cause? Et pourquoi le signaler en manchette? Quelle personne saine d'esprit peut penser que le meurtre de l'ex-épouse va régler le problème des paiements de soutien aux enfants? N'aurait-il pas été plus juste et plus logique de penser que le mobile du meurtre pouvait être le montant de la pension plutôt que la pension elle-même? Il ressort d'ailleurs du compte rendu que la seconde épouse et son mari n'arrivaient pas à joindre les deux bouts à cause du fardeau considérable, voire insoutenable, que représentaient les paiements. Une fois de plus, la presse s'est montrée avare de renseignements à propos du procès et a déformé ceux qu'elle a transmis.

Dans un article récent sur ce procès dans le magazine *Cosmopolitan*, James Horowitz dit que «les médias l'ont couvert à la fois comme un roman à l'eau de rose et comme un défilé de mode... Qui a pleuré à la barre? Que portait Laurie [l'accusée]?» Horowitz cite l'accusée, disant: «Fallait-il que je pleure pendant quinze jours? Et la presse qui décrivait toujours la façon dont je m'habillais. La presse m'a lapidée. C'est trop injuste.» Et encore: «Je crois que c'est à la presse que j'en veux le plus. Les journalistes n'ont pas cessé de faire du sensationnalisme. Que leur avais-je fait? Ils ont été méchants.»

On voit que les secondes épouses ne sont pas toujours ignorées par les médias. Mais lorsqu'elles ne le sont pas, elles sont infailliblement stéréotypées, sans égard aux circonstances. Il faut alors se demander si le cliché vaut mieux que le silence. Avec le temps, on peut au moins espérer que les médias seront plus objectifs.

La plupart des secondes épouses n'ont aucune idée de ce qui les attend après le mariage. Peut-être pensez-vous que la question ne vous concerne pas? Je me permets alors de rappeler que, chaque année, un mariage sur trois est un remariage. Il serait bon que vous sachiez à quoi vous attendre si vous deviez vous marier en deuxièmes noces.

Sans doute devrez-vous travailler pour aider non pas votre famille mais l'ex-famille de votre mari à joindre les deux bouts. Parmi les femmes échantillonnées, il en est dont le salaire sert presque exclusivement à payer la pension alimentaire de l'ex-épouse de leur mari. D'autres versent une bonne partie de leur salaire pour subvenir aux besoins d'une ex-épouse sans emploi. Soixante-quatorze pour cent des femmes interrogées travaillaient, comparativement à 60% des ex-épouses. Vous feriez bien d'être avertie de certains pièges légaux avant de vous précipiter sur le marché du travail à titre de seconde épouse. En Californie, par exemple, les tribunaux tiennent compte du revenu de la seconde épouse dans le calcul de la pension alimentaire de la première épouse. Ainsi, plus vous gagnerez cher, plus la pension de l'ex-épouse de votre mari sera élevée.

Si vous désirez une famille, vous devrez peut-être attendre que les enfants du premier mariage de votre mari volent de leurs propres ailes. Il se peut évidemment que vous soyez alors trop vieille pour fonder une famille ou que votre mari n'ait plus envie de se faire réveiller pour le biberon de deux heures du matin, estimant avoir fait sa part pour la patrie. Seulement 20% des femmes interrogées dans notre enquête avaient des enfants de leur mari actuel. Trente-six pour cent auraient souhaité en avoir mais avaient reporté le projet à plus tard, pour des raisons matérielles ou parce que leur mari ne voulait plus d'enfants.

Comme deuxième épouse, vous pouvez être sûre que votre niveau de vie sera inférieur à celui de la première épouse de votre mari, à moins qu'il ne soit très riche ou qu'il n'ait eu un excellent avocat au moment du divorce. Après tout, il y a une limite à ce qu'un homme peut payer en hypothèques, et la maison qu'il paie ne sera vraisemblablement pas celle dans laquelle vous vivrez. Les choses ne s'amélioreront pas forcément avec l'âge. Certains juges incluent le fonds de retraite dans le règlement du divorce, forçant le mari à partager sa pension avec son ex-épouse.

Vous feriez bien de songer également à ce qui arrivera si votre mari meurt avant vous. Comment ses biens seront-ils partagés? Question délicate mais combien importante, surtout si votre mari est beaucoup plus âgé. Considérez ceci: si votre mari avait un contrat testamentaire avec sa première épouse (c'est-à-dire un contrat lui interdisant de modifier les termes de son testament ou de conclure toute entente susceptible de déshériter les enfants du premier mariage), vous pourriez vous retrouver sur la paille, vous et vos enfants.

Dans *The Legality of Love* (Jove Books, 1981), M. Sonenblik écrit: «Ce type de contrat (testamentaire) constitue pour la première épouse une bonne protection contre le remariage du mari qui, éperdument amoureux de sa nouvelle épouse (et de leurs enfants), pourrait se désintéresser des enfants de son premier mariage.» Il pourrait être tenté de modifier son testament en faveur de sa nouvelle famille si le contrat ne l'en empêchait pas. Personne ne nie que la première famille ne doit pas être déshéritée, mais on admet volontiers que la seconde le soit. La loi n'offre pas la même protection à la seconde épouse et à sa famille.

Même sans contrat testamentaire, l'ex-épouse et/ou ses enfants peuvent toujours confisquer une partie ou la totalité des biens de votre mari à sa mort. Au mieux, les procédures judiciaires traîneront pendant des années. Au pire, vous serez dépossédée au profit de la première famille de votre mari.

La seconde épouse est censée partager les dettes de son conjoint en se mariant, mais elle n'a pas le droit de partager ses biens. Elle risque d'être doublement perdante sur le plan matériel: au moment du mariage et au moment du divorce ou de la mort de son mari.

La loi protège aussi les enfants du premier mariage. La renonciation au droit de garde par l'un des parents n'engage pas les enfants. Même si la mère décide de ne rien réclamer pour l'entretien des enfants, ceux-ci peuvent se présenter devant le tribunal pour obtenir des allocations.

Si cela vous décourage, vous n'êtes pas la seule. Comme seconde épouse, vous êtes plus exposée au divorce. À la fin des années 70, 35% des seconds mariages se soldaient par le divorce en Amérique du Nord. En 1984, la proportion devait atteindre 57%. Et si vous divorcez, ne comptez pas sur un règlement aussi généreux que celui accordé à la première épouse.

Néanmoins, les secondes épouses se donnent en général beaucoup de mal pour préserver leur mariage. Si elles ont déjà été mariées, elles redoutent le traumatisme d'un nouveau divorce. Ou, l'âge aidant, elles se disent que la relation vaut davantage que les problèmes qu'elle suscite. La seconde épouse bénéficie aussi de certains avantages qui lui rendent la vie plus facile. Nous y reviendrons dans les chapitres qui suivent.

J'espère que ce livre plaira à un large public, mais il s'adresse d'abord aux secondes épouses, qui se sentent si isolées. Elles se croient responsables de ce qui leur arrive ou de ce qui arrive à leur ménage, alors que la société et les tribunaux sont ligués contre elles.

En leur parlant, en les assurant qu'elles ne sont pas seules et que beaucoup d'autres femmes sont dans la même situation, j'espère en soulager quelques-unes de leur sentiment de culpabilité. Il est temps que les secondes épouses se rendent compte qu'il n'y a aucune honte à leur état.

J'ai écrit ce livre principalement parce que je suis moi-même mariée en secondes noces. Il y a trois ans que je me débats avec les problèmes qui surgissent lorsqu'une célibataire épouse un homme qui a déjà été marié. Je sais ce que c'est que de se sentir seule et de chercher au fond de soi-même la réponse à ses angoisses.

Au début, je n'arrivais pas à me défaire de l'idée que quelque chose clochait, sans pouvoir mettre le doigt dessus. J'ai eu du mal à m'habituer aux préjugés et à toutes sortes de situations irritantes que je n'aurais jamais soupçonnées dans aucun ménage, encore moins dans le mien.

La seconde épouse affronte des situations imprévues qu'elle réglerait facilement si elle était la première. Elle se préoccupe tellement de ne pas déranger et de gagner l'affection de l'entourage de son mari qu'elle s'oublie elle-même. Elle croit devoir redoubler d'efforts parce qu'elle est deuxième. Il s'ensuit une réaction en chaîne qui ne favorise pas son intégration dans l'univers de son mari.

Lorsque échouent ses tentatives de plaire à tout le monde, elle doute d'elle-même et de son mariage. Elle découvre que l'acte du mariage a transformé une merveilleuse aventure amoureuse en un cauchemar. Des gens qui la connaissent à peine la traitent comme un paria. Habituée à l'exclusivité de son partenaire, elle passe soudain à une situation où elle doit le partager avec des gens souvent hostiles qui jouent un rôle de premier plan dans son ménage: enfants, petits-enfants, ex-épouse (et peut-être leurs amis), ainsi que des amis un peu curieux ou des associés qui ne la considèrent pas comme un être autonome mais simplement comme *sa* seconde épouse.

Ce ne sont pas tant les critiques qui la gênent (elle comprend assez vite qu'elles ne sont pas dirigées contre elle mais contre toute femme que son mari aurait choisi d'épouser) que le fait qu'elle doivent soudainement partager avec d'autres l'homme qu'elle aime. Et non seulement doit-elle partager son temps et son affection, mais également leur avoir commun. Elle se situe difficilement dans la liste des gens qui dépendent de lui. Ceux-ci décideront bientôt qu'elle n'est ni première ni deuxième, mais loin derrière. Une fois remariés, les hommes qui ont quitté leur famille pour une nouvelle partenaire retrouvent fréquemment le sens de leurs responsabilités premières. La seconde épouse sait bien qu'elle ne peut être la première chronologiquement, mais elle ne peut admettre d'être la seconde sur le plan émotif.

C'est ce qui m'a amenée à écrire un livre sur et pour les secondes épouses, donnant leur version des faits. J'ai reçu beaucoup de réactions positives de la part de secondes épouses, mais toutes n'étaient pas acquises au projet. Certaines m'ont dit sur un ton maternel que je ferais mieux de me résigner à mon sort. Peut-être aurais-je été d'accord si j'avais été plus jeune ou si je n'avais pas su combien de femmes sont dans la même situation que moi. Mais me résigner voulait dire admettre tous les stéréotypes qui ne me paraissent s'appliquer ni à moi ni à des milliers d'autres femmes. C'était aussi accepter des lois iniques fondées sur une fausse conception du mariage et de la famille. Pourquoi accepterions-nous de passer en deuxième?

Il ne suffit pas de comprendre les problèmes des secondes épouses. Il faut savoir qu'elles sont nombreuses. Depuis cinq ans, le tiers des mariages célébrés aux États-Unis et le dixième de ceux célébrés au Canada impliquent une seconde épouse. C'est dire qu'en Amérique du Nord 750 000 femmes unissent chaque année leur destinée à celle d'un homme qui a déjà été marié.

Malgré ces statistiques ahurissantes, on constate qu'il existe peu de documentation sur le sujet. Les questions qui les concernent ne suscitent pas encore l'intérêt du grand public. Tandis qu'on trouve en librairie plein de livres sur les mères célibataires, les pères divorcés, les enfants de divorcés ou la vie à deux hors du mariage, il en existe peu sur les secondes épouses.

La raison en est simple. La situation est si récente que les médias n'ont pas eu le temps de s'y intéresser. Certes, il y a toujours eu des secondes épouses (certaines versions de la Genèse soutiennent qu'Adam a épousé Ève après avoir répudié Lillith), mais elles n'ont jamais été aussi nombreuses. Ce n'est qu'avec la libéralisation des lois sur le divorce que les hommes se sont mis à changer de partenaires en cours de route.

Avec un taux de divorce de 50% aux États-Unis et de 30% au Canada, il y a de bonnes chances que vous, votre mère, votre sœur ou votre meilleure amie deveniez un jour deuxième épouse. Comme groupe, les secondes épouses deviennent si importantes qu'elles finiront par entraîner un changement des lois et des attitudes à leur endroit.

Ce changement est déjà amorcé, du reste, puisque les jeunes tolèrent de moins en moins de jouer les seconds violons derrière la première épouse ou les enfants de leur mari. Elles veulent jouir des mêmes droits et privilèges que la première épouse.

L'enquête

Il y a plus d'une façon de mener une enquête, mais la plus sûre est de procéder par échantillonnage. Normalement, l'échantillon est choisi au hasard parmi la population à étudier (dans ce cas, les deuxièmes épouses). Mais pour cette étude, les répondantes n'ont pas été choisies au hasard; elles se sont présentées. Vu la nature du groupe à étudier, j'ai demandé aux femmes de prendre contact avec moi. Celles qui ont répondu à l'invitation ont constitué l'échantillon. J'ai recueilli l'essentiel de l'information au moyen d'un questionnaire. L'échantillon étant trop dispersé géographiquement, je ne pouvais rencontrer chaque femme séparément et il eût été trop long de communiquer avec elles par téléphone.

Avant de finaliser la rédaction d'un questionnaire, il est préférable d'en faire l'essai. Cela permet de modifier la formulation des questions ou, au besoin d'en ajouter. Le premier questionnaire comportait 85 questions, qui me furent inspirées par ma propre expérience de seconde épouse ainsi que par diverses entrevues.

En cours de révision, j'ai ajouté un certain nombre de questions en vue de susciter un plus grand éventail de réponses. J'ai cependant dû me limiter à 110 questions, parce que les questionnaires trop longs (et celui-là était déjà très long) ont tendance à décourager les répondants. La version finale portait sur six sujets: le mariage, les finances, les enfants, l'ex-épouse, les sentiments, et les relations sexuelles. Je demandais aux répondantes d'être très personnelles, afin d'obtenir un profil émotif en même temps que des statistiques.

Comme il était difficile de repérer des secondes épouses par les voies habituelles de la recherche, j'ai passé des semaines à me produire à la radio et à la télévision au Canada et aux États-Unis. Je parlais de mon projet, des problèmes des secondes épouses et de mon expérience. Je priais les auditrices intéressées de prendre contact avec moi. Après leur avoir parlé au téléphone, je leur postais un questionnaire. Le document m'était retourné en deçà de quatre à six semaines, délai très court, compte tenu de la longueur du questionnaire. Un retour de sept à dix pour cent est excellent dans le cas de sondages par la poste. J'ai obtenu un retour de 30%, taux exceptionnel si on considère que les sujets d'études de ce genre (de nature très personnelle) ne sont habituellement pas très pressés de faire parvenir leurs réponses. Le taux de réponse constituait, quant à moi, une preuve de plus qu'il existe un grand intérêt pour ce qui concerne les secondes épouses. Le texte intégral du questionnaire est reproduit dans les pages qui suivent.

QUESTIONNAIRE

OCCUPATION: ______________________ ÂGE: _____
OCCUPATION DU MARI: _______________ ÂGE: _____

Veuillez répondre aux questions suivantes. Souvenez-vous que le but du questionnaire est de connaître vos sentiments aussi bien que de recueillir des données. Soyez aussi subjective que vous le désirez dans vos réponses et donnez autant de détails que possible. Évitez de répondre simplement par oui ou par non. Contentez-vous de répondre aux questions qui s'appliquent à votre situation particulière.

1) Comment avez-vous rencontré votre mari?
2) Combien de temps vous êtes-vous fréquentés avant de vous marier?
3) Pourquoi pensez-vous que votre mari vous a demandée en mariage?

4) Pourquoi avez-vous décidé d'épouser votre mari?
5) Comment fut votre mariage (intime, traditionnel, religieux, civil)?
6) Qui y était invité (votre famille et vos amis, sa famille et ses amis, les enfants, etc.)?
7) Avez-vous eu une lune de miel? Si oui, où?
8) Comment fut le premier mariage de votre mari?
9) A-t-il eu une lune de miel avec sa première épouse? Si oui, où?
10) Avez-vous vécu ensemble avant de vous marier?
11) Si oui, où (chez lui, chez vous, à votre appartement à tous deux)?
12) Où avez-vous habité après votre mariage (appartement, logement en copropriété, maison, etc.)?
13) Où votre mari et sa première épouse habitaient-ils après leur mariage?
14) Avez-vous habité à l'endroit où votre mari et sa femme avaient habité?
15) Si oui, que pensiez-vous de cette situation?
16) Depuis combien de temps êtes-vous mariée?
17) Utilisez-vous habituellement le nom de votre mari ou le vôtre? Pourquoi?
18) Comment votre mari vous présente-t-il («Voici Marie», «Je vous présente ma femme: Marie», «C'est ma femme», etc)?
19) Avez-vous déjà été mariée auparavant? Pendant combien de temps?
20) Votre mari était-il divorcé ou veuf?
21) Votre mari a-t-il quitté sa première femme pour vous, ou vous a-t-il rencontrée après?
22) Votre mari a-t-il été marié plus d'une fois avant de vous rencontrer?
23) Combien de frères et de sœurs avez-vous?
24) Votre mari a-t-il des enfants de son premier mariage?
25) Quel âge avaient-ils lorsqu'il vous a épousée?
26) Ses enfants habitaient-ils avec vous après votre mariage?
27) Si ses enfants n'habitent pas avec vous, les voit-il souvent?

28) Fréquentez-vous ses enfants? Si oui, dans quelles circonstances (affaires, rencontres amicales, etc.)?

29) Croyez-vous que ses enfants soient directement ou indirectement responsables de frictions dans votre relation avec votre conjoint? Expliquez.

30) Avez-vous des enfants de votre mari?

31) Sinon, projetez-vous d'en avoir?

32) Votre mari désire-t-il avoir des enfants de vous?

33) Si vous vouliez avoir des enfants et que votre mari n'en voulait pas, que feriez-vous?

34) Que ressentiez-vous pour les enfants de votre mari à l'époque du mariage (amour, aversion ou indifférence)?

35) Que croyez-vous qu'ils ressentaient pour vous?

36) Votre relation avec eux a-t-elle changé depuis votre mariage?

37) Si vous aviez des enfants de votre mari, comment croyez-vous qu'ils réagiraient?

38) Si vous avez des enfants de votre mari, comment les aime-t-il par rapport à ceux de son premier mariage (autant, plus ou moins)?

39) Travailliez-vous avant votre mariage?

40) Travaillez-vous maintenant?

41) Comment votre mariage a-t-il affecté votre carrière?

42) La première épouse de votre mari travaillait-elle avant ou pendant leur mariage?

43) Partagez-vous les dépenses avec votre mari, ou subvient-il à vos besoins?

44) Contribuez-vous à la pension alimentaire des enfants d'un précédent mariage?

45) Est-ce que la pension alimentaire que votre mari doit verser à sa première famille (s'il en a une) affecte votre niveau de vie?

46) Si oui, cela vous rend-il amère?

47) Si votre mari faisait son testament, vous laisserait-il tous ses biens (ainsi qu'à vos enfants), ou les partagerait-il avec les membres de sa première famille?

48) Si vous faisiez votre testament, laisseriez-vous tous vos biens à votre mari, sachant qu'à sa mort les enfants d'un précédent mariage pourraient en hériter?

49) Votre mari a-t-il porté au nom de son épouse des biens achetés pendant son premier mariage?

50) Votre mari a-t-il porté à votre nom des biens achetés pendant votre mariage?

51) Combien de temps a duré le premier mariage de votre mari?

52) Sa première épouse vit-elle?

53) Si oui, votre mari est-il en contact avec elle? Expliquez.

54) Pourquoi votre mari a-t-il divorcé d'avec sa première épouse?

55) Vous êtes-vous jamais sentie responsable de la rupture du premier mariage de votre mari? Expliquez.

56) Si sa première épouse est décédée, y pense-t-il encore beaucoup (vous en parle-t-il souvent ou se souvient-il de leurs anniversaires)?

57) Si oui, quel effet cela vous fait-il?

58) Fréquentez-vous sa première épouse? Expliquez.

59) Sa première épouse vous ressemble-t-elle physiquement, sur le plan de la personnalité, du milieu, etc?

60) Sa première épouse s'attend-elle à ce que votre mari s'acquitte de certaines tâches comme lorsqu'ils étaient mariés (budget, réparations de la maison, etc.)?

61) Quel effet cela vous fait-il?

62) Vous confond-il avec sa première épouse (vous appelle-t-il par son nom? Évoque-t-il des choses qu'il a faites avec elle comme si c'eût été avec vous, etc.)?

63) D'après ce que vous savez de sa première épouse, qu'en pensez-vous?

64) Avez-vous jamais éprouvé de la sympathie pour elle?

65) Êtes-vous satisfaite de votre vie sexuelle?

66) Pensez-vous que les hommes qui ont déjà été mariés sont de meilleurs amants?

67) Votre mari essaie-t-il de satisfaire vos désirs sexuels?

68) Pensez-vous que le premier mariage de votre mari a eu une grande influence sur ses habitudes en amour?

69) Votre mari mentionne-t-il parfois sa vie sexuelle avec sa première épouse? Expliquez.

70) À votre connaissance, la vie sexuelle de votre mari était-elle satisfaisante dans son premier mariage?

71) Pensez-vous que votre mari aime mieux faire l'amour avec vous qu'avec sa première épouse? Pourquoi?

72) À votre connaissance, votre mari a-t-il fait l'amour avec sa première épouse depuis qu'il vous a rencontrée?

73) Êtes-vous parfois jalouse des moments intimes qu'il a partagés avec sa première épouse?

74) Depuis votre mariage, avez-vous jamais songé à avoir une aventure? Pourquoi?

75) À votre connaissance, votre mari a-t-il eu ou considéré comme possible une aventure depuis votre mariage?

76) À votre connaissance, votre mari était-il fidèle à sa première épouse?

77) Avez-vous parfois l'impression que votre mari vous compare à sa première épouse?

78) A-t-il essayé de vous changer de quelque façon afin que vous ressembliez davantage à sa première épouse?

79) Si oui, vous êtes-vous rendue à ses désirs?

80) Avez-vous déjà eu l'impression que votre mari se sentait encore marié à sa première épouse?

81) Avez-vous déjà songé au divorce? Pourquoi?

82) Si vous décidiez de divorcer, pensez-vous que le règlement serait comparable à celui obtenu par sa première épouse?

83) Lequel de vous deux fait le plus d'efforts pour que votre mariage fonctionne?

84) Votre mariage vous rend-il foncièrement heureuse?

85) Y a-t-il des choses que vous voudriez changer dans votre mariage?

86) Pensez-vous que ces changements sont possibles?

87) À quel sujet vous querellez-vous le plus souvent avec votre mari (le sexe, l'argent, les enfants, etc.)?

88) En vacances, votre mari vous a-t-il déjà emmenée à un endroit qu'il avait visité avec sa première épouse?

89) Qu'en avez-vous pensé?

90) Fréquentez-vous des amis communs à votre mari et à sa première épouse? Expliquez.

91) Vous sentez-vous à l'aise avec eux?

92) Vous sentez-vous à l'aise avec la famille de votre mari (autre que ses enfants)?

93) Votre mari fréquente-t-il toujours la famille de sa première épouse? Expliquez.

94) Qu'en pensez-vous?

95) Comment votre famille a-t-elle réagi au fait que vous deveniez une seconde épouse?

96) Comment croyez-vous que les amis de l'époque du premier mariage de votre mari se sentent-ils vis-à-vis de vous?

97) Pensez-vous que votre mari vous aime plus ou moins que sa première épouse?

98) Diriez-vous que votre mari est plus satisfait de son deuxième mariage que du premier?

99) Quels sont, d'après vous, les problèmes fondamentaux auxquels doit faire face une seconde épouse?

100) Étiez-vous prête à affronter ces problèmes ou vous ont-ils surprise?

101) Quels sont, d'après vous, les avantages d'être seconde épouse?

102) Avez-vous déjà souhaité être la première épouse de votre mari ou que celui-ci n'ait pas été marié auparavant?

103) Avez-vous l'impression de passer en deuxième parce que vous êtes la deuxième épouse de votre mari?

104) Avez-vous l'impression que quelque chose manque à votre mariage parce que vous êtes la seconde épouse?

105) Si c'était à refaire, avec le recul, épouseriez-vous un homme qui a déjà été marié?

106) Si vous avez été première épouse et seconde épouse, quelle est la différence, d'après vous?

107) Croyez-vous que votre mari se sent parfois coupable d'avoir laissé sa première épouse?

108) Avez-vous déjà éprouvé de la culpabilité à propos de votre statut de seconde épouse? Expliquez.

109) Diriez-vous que votre mari reste parfois possessif vis-à-vis de sa première épouse? Expliquez.

110) Comment vous sentiez-vous en remplissant ce questionnaire, et pourquoi l'avez-vous fait?

Qui a pris part au sondage?

Deux cents secondes épouses ont répondu à la version finale du questionnaire. Leur âge variait entre vingt-deux et soixante et onze ans, mais elles avaient en moyenne trente-deux ans lorsqu'elles se sont mariées en secondes noces (et trente-sept ans lorsqu'elles ont rempli le questionnaire). La majorité (61%) étaient auparavant célibataires, mais plusieurs avaient déjà habité avec un homme. Trente-cinq pour cent étaient divorcées; 4%, veuves. Un peu plus de 75% avaient vécu avec leur mari actuel avant de l'épouser.

Soixante-quatorze pour cent étaient des femmes de carrière et ont continué d'exercer leur métier ou leur profession après le mariage. Voici la liste des occupations des femmes qui ont répondu au questionnaire:

Professeurs, 20
Psychologues, 2
Cuisinières, 2
Aides-dentistes, 2
Ménagères, 52
Comptable, 1
Journalistes, 2
Réceptionnistes, 3
Vice-présidente, 1
Danseuse, 1
Recherchistes, 2
Agent de police, 1
Vendeuses, 7
Commis de bureau, 10
Étudiantes, 5
Kinésithérapeutes, 3
Infirmières, 4
Hôtesses de l'air, 3
Préposées à la paie, 5
Expertes-conseils, 3
Retraitée, 1
Opératrices de traitement de texte, 4
Mannequin, 1
Comédienne, 1
Finisseuse, 1
Rédactrices, 2
Avocate, 1
Secrétaires, 18
Adjointes de cadre, 11
Réparatrice, 1
Ballerine, 1
Assistantes administratives, 6
Conseillères en personnel, 5
Chefs des ventes au détail, 3
Monitrices de jardin d'enfants, 4
Serveuses/barmaids, 6
Agents immobiliers, 4

(Une des répondantes a donné comme occupation «esclave», condition que plusieurs femmes, indépendamment de leur statut matrimonial, considèrent comme synonyme de femme de ménage.)

Les maris

L'âge moyen des maris au second mariage était de trente-huit ans (et de quarante-deux ans au moment du sondage). Leur âge variait entre vingt-neuf et quatre-vingt-cinq ans. La différence d'âge entre les conjoints variait de zéro à trente ans, et la moyenne était de sept ans. Quatre-vingt pour cent des maris étaient plus âgés que leur épouse.

Voici quelles étaient les occupations des maris:

Gérants, 22
Ingénieur des ventes, 1
Pilotes, 2
Enseignants, 16
Vendeurs, 15
Contremaîtres, 2
Métallurgiste, 1
Écrivain, 1
Éditeur, 1
Retraités, 2
Décorateur, 1
Liquidateur, 1
Marketing, 1
Gérants des ventes, 6
Restaurateurs, 3
Vendeurs d'obligations, 2
Hommes d'affaires, 18
Réalisateurs, 2
Chargés de personnel, 3
Décorateur d'intérieurs, 1
Experts-conseils, 4
Fonctionnaires, 2
Promoteurs immobiliers, 2
Manufacturiers, 4
Indépendants, 31
Coiffeur, 1
Ingénieurs, 3
Fabricant de machines-outils, 1
Chauffeurs de camion, 5
Agent de police, 1
Professeur d'université, 1
Photographe, 1
Techniciens en informatique, 4
Messager, 1
Psychologue, 1
Mécaniciens, 2
Administrateurs, 10
Conférenciers, 4
Avocats, 2
Agents de change, 3
Publicistes, 4
Négociant, 1
Pompier, 1
Agent de sécurité, 1
Médecins, 2
Agents immobiliers, 3

Quatre-vingt-quatre pour cent des maris avaient des enfants d'un mariage précédent et 20% d'entre eux en avaient la garde. Certains avaient jusqu'à cinq ou six enfants, mais la plupart n'en avaient qu'un ou deux, conformément à la moyenne nationale. Les enfants se partageaient en deux catégories d'âge. Les mineurs (moins de quinze ans) avaient huit ans en moyenne, et les enfants adultes, vingt ans. Soixante-quatorze pour cent des maris avaient au moins un enfant de moins de quinze ans.

Les conjoints s'étaient connus deux ans et demi avant le mariage, en moyenne, et le mariage datait d'environ six ans. Le premier mariage des maris avait duré douze ans et demi en moyenne, et celui des femmes, douze ans. Selon les statistiques, la majorité des divorces d'un premier mariage surviennent entre la dixième et la quatorzième année, aux États-Unis.

Ces renseignements permettent d'esquisser le portrait type de la seconde épouse. Elle a environ trente-cinq ans et en est probablement à son premier mariage. Elle a quelquefois cohabité avec un homme auparavant, et elle a de bonnes chances d'avoir vécu avec son mari avant de l'épouser. Comme elle travaillait avant de se marier et travaille encore, elle refuse pour le moment d'avoir des enfants. Son mari est dans la trentaine avancée ou au début de la quarantaine et il a déjà divorcé une fois. Selon toute probabilité, il a des enfants mineurs qu'il devra soutenir encore pendant des années.

En résumé

Ce livre n'est pas qu'un simple compte rendu des problèmes des secondes épouses. Sa portée est plus vaste. Il s'adresse particulièrement aux secondes épouses et à celles qui s'apprêtent à joindre leurs rangs. Si vous êtes mari, enfant, parent, employeur, meilleur ami, voire procureur d'une seconde épouse, cet ouvrage vous aidera sans doute à la mieux comprendre. Si vous êtes femme célibataire ou divorcée et désirez vous marier un jour, vous gagnerez à lire ce livre parce que vous risquez fort d'être seconde épouse. Enfin, si vous êtes première épouse, ce livre vous concerne aussi. Une première épouse me disait récemment: «Votre livre m'inspirera peut-être d'autres façons d'ennuyer mon ex-mari.» Ce que cette femme ignore sans doute, c'est qu'en «ennuyant» son ex-mari elle «ennuiera» aussi sa seconde épouse.

CHAPITRE 2

La vie de seconde épouse

Le mariage est une merveilleuse institution,
mais qui veut vivre en institution?
Groucho Marx

Nous savons tous plus ou moins ce que c'est que d'être première épouse. Nous savons comment les femmes rencontrent leur mari, comment et où elles vivent, et ce qu'elles peuvent attendre du mariage. Mais comment vivent les secondes épouses? De la même manière? Que peuvent-elles attendre de leur mariage?

La vie conjugale de la seconde épouse est différente, et cela est dû au fait qu'elle est deuxième. Elle ne peut compter vivre aussi bien que la première. Quatre secondes épouses sur cinq sont mariées à des hommes qui ont des enfants, mineurs trois fois sur quatre; 74% sont forcées de travailler; 33% seulement se sont mariées par amour.

Ce n'est que depuis peu que les secondes épouses sont aussi nombreuses. Elles n'ont donc pas d'identité collective. Comme personne ne sait trop bien où elles se situent dans l'univers social et familial, elles mettent beaucoup de temps et d'énergie à tenter en vain d'assumer le rôle de première épouse, tel qu'elles l'imaginent. Leur rôle ne peut être le même, parce que le passé de leur mari le modifie.

Hélas! la société persiste à considérer la première épouse comme seule légitime et celles qui suivent comme des accidents de parcours dans la vie de l'homme. Les sociétés mettent du temps à s'adapter aux tendances nouvelles. La nôtre continue de traiter le second mariage comme une déviation plutôt qu'un phénomène de plus en plus répandu, une réalité.

Rien n'est immuable dans la vie. La cellule familiale n'échappe pas à la règle. De nos jours, il existe des familles monoparentales, binucléaires, mixtes, et des secondes épouses. Il va de soi que plus nous vivrons longtemps, plus nous changerons. Bon nombre d'entre nous vivrons quatre-vingts ans et plus. Nous risquons donc de nous marier deux fois ou même trois. La longévité des conjoints multiplie aussi les risques d'échec puisque, avec le temps, les influences négatives qui s'exercent sur le ménage augmentent. La tradition selon laquelle le mariage sert essentiellement à élever des enfants s'effrite. Selon le professeur George Masnick, de Harvard, de plus en plus de familles américaines n'ont pas d'enfants. Celles qui ont des enfants en ont moins et plus tard. D'autre part, la perspective de passer vingt ou trente ans avec le même conjoint après le départ des enfants n'est plus la seule possibilité qui s'offre aux parents modernes. Leur envie de satisfaction personnelle l'emporte souvent sur la valeur traditionnelle de pérennité du mariage. La notion de devoir cède à celle de plaisir.

Le taux de divorce a doublé depuis dix ans. C'est chez les couples dont les enfants ont moins de dix ans ou plus de vingt ans qu'il est le plus fréquent. Le taux de remariage affiche aussi une hausse phénoménale. Quatre-vingt-quatre pour cent des hommes divorcés et 75% des femmes divorcées se remarient (les hommes plus vite que les femmes). Le taux est encore plus élevé parmi les veufs qui se remarient, dans une proportion de trois pour un par rapport aux veuves. De là provient la multitude croissante de secondes épouses.

L'instant fatidique

Où et comment les secondes épouses trouvent-elles un mari? Les statistiques démontrent que la majorité rencontrent leur futur mari au travail ou par l'entremise d'amis. Parmi les femmes de l'échantillon, 54% ont rencontré leur mari de cette façon. Quelques couples se sont connus par l'entremise des enfants ou d'un parent (habituellement frère ou sœur). Quelques-uns se sont connus et fréquentés dès l'adolescence, se sont perdus, puis se sont retrouvés après le divorce de l'un d'eux. Au contraire des couples qui n'ont jamais été mariés, les secondes épouses rencontrent rarement leur mari dans des réceptions, des bars, des soirées dansantes, à l'école ou dans des événements sportifs.

> *J'ai rencontré mon mari à onze ans. Il en avait seize. Nous sommes sortis ensemble de temps à autre pendant quelques années. Puis il est venu me trouver après son divorce.*

Nous nous sommes connus par l'entremise d'un club de correspondance. Cela fait un peu «âme seule», mais ça ne l'était pas. C'était un club mis sur pied par la paroisse pour favoriser les rencontres entre divorcés.

Mon mari et moi travaillions pour la même compagnie, dans des départements différents. Nous nous sommes rencontrés sur le piquet de grève pendant un conflit.

J'ai présenté mon mari à sa première épouse (c'était ma meilleure amie). Leur mariage n'a pas duré et nous avons commencé à nous fréquenter après leur divorce.

Le mariage est en général une décision bien mûrie chez les secondes épouses. Elles ne se marient pas à la hâte. Trente-huit pour cent connaissaient leur mari depuis cinq ans ou plus avant de l'épouser; 46% le connaissaient depuis moins de cinq ans, mais depuis plus de un an. Elles ont en moyenne trente-quatre ans au moment du mariage, et les premières épouses en ont vingt-deux.

Voilà qui contredit l'image de jeune louve ravisseuse de maris (l'un des stéréotypes qui irritent le plus les secondes épouses). Contrairement au préjugé, 67% des secondes épouses n'ont rencontré leur mari qu'après son divorce ou sa séparation. Dans 8% des cas, le mari était veuf ou avait été abandonné par son épouse.

Au contraire des premières épouses, les secondes épouses se marient rarement par amour. Seulement 33% des femmes de l'échantillon disent s'être mariées «par amour». Huit pour cent disent avoir cédé aux instances de leur mari. Les autres (67%) invoquent l'affection (12%), la soif de sécurité pour elles et leurs enfants (11%), les pressions sociales ou familiales (10%), la solitude (6%), le désir d'une relation permanente (6%), les convenances (5%), l'amour des enfants du mari (4%) et la consolidation de leur position vis-à-vis de l'ex-épouse (5%).

Mon mari était très seul. Il m'aimait, j'en suis sûre, mais il avait surtout besoin qu'on s'occupe de lui.

Je l'ai épousé parce que je l'aimais. Il se trouvait aussi que je voulais me marier et avoir des enfants, du moins le pensais-je.

Je l'ai épousé parce qu'il avait de jeunes enfants et que je voulais m'en occuper. J'avais aussi besoin de la sécurité et de l'amitié que procure le mariage.

J'ai épousé mon mari pour plusieurs raisons. D'abord, j'étais follement amoureuse et je désirais la sécurité du mariage. Mes parents craignaient qu'il se serve de moi (vous connaissez le refrain: le vieillard et l'enfant) et je me disais que s'il m'aimait vraiment, il m'épouserait. De plus, sa première épouse cherchait à le ravoir.

Il y a dix ans, ça aurait été mal vu par notre entourage et le curé si nous ne nous étions pas mariés. Et je voulais me rassurer sur notre relation, d'autant que sa première épouse vivait dans le même patelin.

Je voulais être reconnue comme son épouse.

Les secondes épouses, sauf 30% d'entre elles, ont aussi l'impression qu'on ne les a pas mariées par amour. Quinze pour cent pensent qu'on les aimait «bien» plutôt que véritablement, et 15% disent qu'on les a épousées pour donner une mère aux enfants et avoir une femme de maison. Les autres disent qu'on les a épousées par convenance, par peur de la solitude, sous la pression sociale ou familiale, par envie de sécurité ou de bonheur, parce qu'elles refusaient la cohabitation, ou simplement pour le plaisir du mariage. Enfin, 7% des femmes de l'échantillon disent que leur mari les a mariées parce qu'il avait envie d'une femme plus jeune.

Il m'a épousée parce que ça le flattait d'avoir une femme plus jeune que lui de vingt ans, qu'il pensait pouvoir satisfaire sexuellement et dont il pourrait se vanter auprès des copains.

Je l'ai poussé à m'épouser parce que je doutais de son amour.

Je pense qu'il m'aimait et que ça le soulageait d'avoir une femme à la maison.

Il n'était pas dans le coup. Il avait l'impression que la vie lui échappait et que la société était encore faite pour les couples. Il a paniqué et m'a demandée en mariage.

J'étais enceinte et ses enfants ont acquiescé au mariage.

Il voulait que je vive avec lui, mais je pensais que si nous n'étions pas mariés, son ex-épouse s'immiscerait constamment dans le ménage. Je lui ai donc servi un ultimatum: le mariage ou rien.

La plupart des femmes de l'échantillon étaient mariées à des hommes qui n'avaient été mariés qu'une fois auparavant (84%). Dans 46% des cas, le premier mariage avait duré moins de dix ans. Dans 29% des cas, il avait duré moins de cinq ans ou de dix à quinze ans. La durée du premier mariage ne semble pas significative, sauf si elle dépasse vingt ans. Il va de soi que le lien psychologique entre le mari et sa première épouse est alors beaucoup plus fort.

Le mariage et la lune de miel

Une fois le mariage convenu, la seconde épouse peut-elle compter sur le même genre de cérémonie et de lune de miel que la première?

Cinquante et un pour cent des femmes de l'échantillon ont opté pour un mariage traditionnel, mais sans déploiement. Trente-huit pour cent des premières épouses avaient aussi opté pour un mariage traditionnel modeste. Seulement 17% des secondes épouses voulaient un mariage fastueux, choix de la majorité des premières épouses. Environ la même proportion, soit 15% des secondes épouses et 17% des premières, ont opté pour un mariage civil. Enfin, 5% des premières épouses se sont mariées secrètement et 11% des secondes épouses se sont mariées à la maison.

Nous nous sommes mariés modestement, dans le jardin. Sa fillette était demoiselle d'honneur et son ex-épouse est venue à la réception.

Le premier mariage de mon mari a été célébré selon les meilleures traditions, en présence d'environ deux cents invités. La réception a eu lieu au Plaza et j'étais demoiselle d'honneur. J'ai célébré le mien dans l'intimité et la réception a eu lieu dans notre appartement.

Nous nous sommes mariés en présence d'une centaine d'amis et de parents. La cérémonie a eu lieu à l'église mais n'était pas traditionnelle. Nous avons conçu une cérémonie très spéciale, très personnelle. Je ne voulais pas répéter les vœux qu'il avait prononcés avec sa première épouse. L'expression «jusqu'à ce que la mort nous sépare» semble un peu déplacée lorsqu'on marie un homme qui a déjà été marié.

Si elles se sont mariées suivant le modèle traditionnel, les secondes épouses n'ont cependant pas eu de lune de miel traditionnelle. Sauf exception, la lune de miel s'est bouclée en une ou deux nuits à l'hôtel local ou en une semaine à la maison de campagne familiale. On en a profité pour visiter la belle-famille ou faire connaissance avec les enfants du mari. Le plus souvent, on a sacrifié le voyage de noces, faute d'argent, avec l'intention de le faire plus tard, lorsque les finances le permettraient ou qu'on n'aurait pas à faire garder les enfants.

Nous nous sommes tellement querellés à propos de l'argent et des enfants que nous sommes finalement partis chacun de notre côté afin de nous calmer.

Nous avons passé une journée à Ottawa, où nous nous sommes mariés. Nous ne pouvions rester plus longtemps parce qu'il fallait nous occuper de son bébé du premier mariage.

Nous avons été quinze jours dans les Caraïbes... avec ses deux enfants qui étaient en vacances et que c'était son tour de garder. Ils n'ont pas cessé de m'épier et de tout rapporter à leur père. Ainsi, leur mère ne boit pas et, chaque fois que je prenais un verre, ils se précipitaient vers leur père en criant: «Jenny est encore en train de boire.» Plutôt casse-pieds. Le décor était enchanteur, mais comment être romantique avec ces deux petits mouchards sur mes talons? J'étais contente de rentrer et de les renvoyer à leur mère.

La première épouse, cela va de soi, n'affronte pas ce genre de situation. Les préparatifs, voire la cérémonie du mariage, ne diffèrent peut-être pas beaucoup, mais, pour la lune de miel, c'est une autre histoire. Les premières épouses s'en tirent généralement mieux.

Je voulais aller aux chutes du Niagara, mais il y était déjà allé avec sa première épouse. Nous avons donc décidé d'aller à un endroit où il n'aurait pas de souvenirs.

Lorsque sa première épouse a appris que nous allions à Acapulco, elle m'a appelée pour me suggérer les bons endroits et les coins les plus romantiques. Bref, ce qui lui avait plu durant «son» voyage de noces. J'ai refusé de visiter ces endroits.

Durant toute notre lune de miel, il n'arrêtait pas de répéter: «Nous avons fait ceci, nous avons fait cela.» C'était horrible.

L'une des raisons pour lesquelles les secondes épouses sacrifient la lune de miel (outre les enfants, l'ex-épouse ou l'argent), c'est sans doute que 73% vivaient avec leur mari avant le mariage, comparativement à seulement 22% des premières épouses. La période d'«apprentissage conjugal» paraît donc moins nécessaire. Plusieurs disent toutefois regretter de n'avoir pu s'évader avec leur mari, ne fût-ce que quelques jours. Celles qui se mariaient pour la première fois en ont particulièrement souffert parce qu'il leur a semblé qu'elles laissaient s'échapper leur seule chance d'aller en lune de miel.

Qu'importe le nom?

La majorité des femmes de l'échantillon ont abandonné leur nom et adopté celui de leur mari même si, dans bien des cas, une autre femme le portait déjà. Soixante-six pour cent ont pris le nom du mari. Le quart ont gardé leur nom de fille, pour des raisons professionnelles ou pour éviter qu'on ne les confonde avec l'ex-épouse. Quatre pour cent ont ajouté le nom de leur mari au leur et 8% ont fait un compromis, conservant leur nom de fille pour certaines occasions et utilisant, le reste du temps, celui de leur mari. La plupart s'entendent pour donner le nom du mari aux enfants, si elles en ont.

Je conserve mon nom pour des raisons professionnelles. C'est embêtant avec les gens qui ne nous savent pas mariés (ses anciens amis, par exemple). Ils me croient sa maîtresse.

J'ai pris le nom de mon mari parce que je le respecte et que je veux qu'on sache que je suis son épouse.

J'ai pris les deux noms parce que ça me semblait plus juste pour l'un et pour l'autre. Je ne voulais pas non plus qu'on me confonde avec sa première épouse.

J'utilise mon nom parce que je ne veux pas être la deuxième Madame Une telle.

J'utilise son nom, mais ça m'embête parce que son ex le porte encore, et que je reçois des appels et du courrier qui lui sont destinés. Je m'étonne qu'elle ne reprenne pas son nom de fille, comme on fait en Europe. Après tout, elle n'est plus son épouse, et moi je le suis.

J'ai gardé le nom de mon ex-mari parce que c'est aussi celui de mes enfants.

Avec ses amis, je porte son nom. Officiellement, j'utilise nos deux noms et, avec mes amis, j'utilise le mien.

Lorsque je travaillais, j'utilisais mon nom. Maintenant que nous avons un enfant, j'utilise le sien.

J'étais curieuse de savoir comment les maris présentent leur seconde épouse et s'ils se sentent obligés de préciser qu'elle est la seconde. La plupart, semble-t-il, insistent pour dire qu'elle est leur épouse mais négligent de préciser qu'elle est la seconde. Certains ne disent rien du tout et laissent leur épouse se débrouiller avec les présentations. Quelques femmes excusent ce comportement, qu'elles imputent à la gêne, mais la plupart le trouvent irritant.

La vie au jour le jour

Le mariage et la lune de miel passés, en quoi la vie de tous les jours diffère-t-elle pour la seconde épouse?

En 1981, le revenu familial moyen s'établissait à 23 220 $, aux États-Unis. Le logement et la nourriture en absorbaient plus du tiers. Un tiers servait aux dépenses courantes de la maison, aux soins médicaux et aux vêtements, et un tiers au transport, aux loisirs et à l'entretien personnel. Comment le couple peut-il joindre les deux bouts si le mari doit subvenir aux besoins d'un autre ménage? Généralement, avec le salaire de l'épouse. Ainsi, 64% des secondes épouses travaillent, comparativement à 52% de l'ensemble des femmes. Elles ne travaillent pas parce qu'elles sont femmes de carrière ou pour leur satisfaction personnelle, mais pour aider leur mari à couvrir les dépenses de deux ménages. Pas moins du tiers du revenu du couple passe en pension alimentaire, en allocations de soutien aux enfants ou en dépenses extraordinaires, tels les frais de scolarité des enfants de la première famille. Le niveau de vie de la seconde épouse et de son mari ne correspond que rarement à leurs salaires et à leurs efforts. Leur revenu réel est bien moindre.

Où habitent les secondes épouses? Soixante-sept pour cent de celles qui habitaient avec leur mari avant de l'épouser vivaient en appartement et 31% dans une maison (vestige d'un mariage précédent). Après le mariage, la situation s'est inversée: 40% habitent en appartement et 60% dans une maison, indiquant encore une fois que les secondes épouses souhaitent une relation traditionnelle. Côté logis, les secondes épouses sont avantagées dans les premières années du mariage puisque 67% des premières épouses vivaient en appartement, 19% dans une maison et 14% chez les beaux-parents.

Il faut cependant tenir compte des différences d'âge et de revenus entre les deux groupes. Les premières épouses ont en moyenne treize ans de moins lorsqu'elles se marient et leur mari vient d'entrer sur le marché du travail. Les secondes épouses ont en moyenne trente-quatre ans et leur mari a déjà gravi quelques échelons dans sa vie professionnelle. Néanmoins, leur niveau de vie est inférieur à celui que supposent leur âge et leur statut économique. Les secondes épouses ne sont pas aussi à l'aise que les premières épouses d'âge et de rang comparables. En outre, elles épousent des hommes au tiers ou à mi-chemin de leur carrière, de sorte que leurs chances d'obtenir la sécurité matérielle qu'elles devraient avoir sont moindres que celles des femmes qui sont en ménage depuis le début de la vingtaine.

Notons que 40% des femmes de l'échantillon en étaient à leur second mariage et que plusieurs d'entre elles avaient gardé leur maison. Elles étaient donc en meilleure posture financière que les femmes auparavant célibataires. Seize pour cent habitaient dans la maison de leur mari (sa première épouse l'ayant quitté ou étant décédée) et jouissaient aussi d'une meilleure situation financière.

Nous avons acheté une maison (que j'ai payée). Autrement, nous aurions dû vivre en appartement. Il ne pouvait se permettre d'en acheter une autre puisqu'il payait déjà l'hypothèque sur la maison dans laquelle vivait sa première épouse.

Nous habitions l'appartement qu'il avait habité avec sa première épouse. Curieusement, il ne comprenait pas et ne comprend toujours pas pourquoi l'idée de vivre au même endroit et de coucher dans la même chambre qu'elle ne m'enchantait pas.

Les ex-épouses et les enfants

Comment les enfants s'intègrent-ils à la situation, et quelle sorte de rapports la seconde épouse aura-t-elle avec la première épouse de son mari?

Vingt pour cent des femmes de l'échantillon avaient des enfants de leur mariage. Trente pour cent en souhaitaient mais ne pensaient pas pouvoir en avoir aussi longtemps que leur mari devrait soutenir les enfants de son mariage précédent. Rien d'étonnant lorsqu'on sait que pourvoir aux besoins d'un enfant jusqu'à ses dix-huit ans coûte environ 135 000 $, sans compter les frais d'études supérieures.

Je voulais des enfants mais nous ne pouvions pas nous le permettre. J'aurais dû arrêter de travailler et il aurait fallu vivre de son salaire. C'était impensable. Il a donc subi une vasectomie. Je m'y suis finalement résignée, mais j'aurais bien aimé avoir des enfants à moi. Je me console en gâtant ma nièce et mon neveu.

En secondes noces, vous risquez fort d'épouser un homme qui a déjà des enfants. Quatre-vingt-quatre pour cent des secondes épouses sont belles-mères. Quarante-quatre pour cent disent que leur mari reste en contact avec sa première épouse à cause des enfants. Les enfants ne sont parfois qu'un prétexte, cependant. Vingt-sept pour cent des femmes disent que leur mari continue de voir son ex-épouse parce qu'il se sent coupable. Huit pour cent disent qu'il la revoit pour son plaisir sexuel. Huit pour cent invoquent des raisons légales ou financières et 4% disent que c'est parce que la première épouse n'habite pas loin. Enfin, 37% disent que leur mari n'a plus aucun contact avec son ex-épouse.

Mon mari déjeune parfois avec sa première épouse et elle l'appelle souvent. Elle s'attend à ce qu'il prenne toutes les décisions pour elle. Je n'y peux rien mais son intrusion constante dans notre ménage m'agace terriblement.

Mon mari a très peu de contacts avec sa première épouse. Il la voit pour signer des documents légaux et lui parle au téléphone si c'est elle qui répond lorsqu'il appelle sa fille.

Mon mari et moi n'avons aucun contact avec elle, et les enfants non plus. Après avoir quitté son deuxième mari et ses deux enfants, elle s'est mêlée à la communauté homosexuelle. Nous ne traitons avec elle que par l'entremise de notre avocat.

Elle téléphone continuellement pour se plaindre qu'elle ne reçoit pas assez d'argent. Mon mari se sent déjà très coupable de l'avoir laissée, et ses appels le tracassent beaucoup. Nous nous querellons souvent à ce sujet.

La première épouse est souvent si présente dans la vie du mari qu'on ne s'étonne pas que 38% des secondes épouses disent qu'il leur arrive parfois d'être confondues avec elle. Le mari appelle sa deuxième épouse du nom de la première (80%), confond les événements, les dates d'anniversaire de naissance, de mariage, etc., les mensurations, les grandeurs, les couleurs ou les parfums favoris de chacune.

La famille confond aussi la seconde épouse avec la première, peut-être délibérément dans le but de l'embarrasser, pensent certaines répondantes.

Pendant les deux premières années de notre mariage, mon mari m'apportait des fleurs le jour de «leur» anniversaire. J'en ris aujourd'hui mais, à l'époque, ça me blessait.

Tandis que nous regardions le mariage du prince Charles à la télévision, mon mari m'a demandé si je me souvenais que nous avions assisté au couronnement de la reine. Je lui ai rappelé que je n'étais pas née à l'époque.

D'autres maris sont au contraire très conscients des différences entre la première et la seconde épouse. Quinze pour cent des répondantes disent que leur mari a essayé de les changer pour qu'elles ressemblent davantage à la première. Vingt pour cent disent qu'elles lui ressemblent physiquement ou ont la même personnalité ou les mêmes antécédents. La majorité des hommes épousent cependant une femme différente de la première.

Mon mari évoque continuellement son ex, m'appelle par son nom et parle d'elle comme si elle était dans la pièce voisine. Je déteste cela, ça m'énerve et ça me rend très agressive (c'est pourquoi il le fait, d'ailleurs). Nous avons presque la même apparence, le même second prénom, les mêmes goûts et le même signe astrologique. Parfois, j'ai l'impression qu'il m'a épousée parce qu'il voulait reprendre son mariage avec elle.

Je suis son contraire. Elle était petite et brune, je suis grande et blonde. Elle ne désirait rien d'autre qu'être son épouse et s'occuper des enfants, alors que je tiens fermement à ma carrière. Nous avons des personnalités totalement différentes. Je pense que c'est pour cela qu'il m'a épousée, parce que je ne lui ressemble pas du tout.

Je suis très ouverte et j'ai le sens de l'humour. Elle était très sérieuse et silencieuse. Je pense qu'il trouvait son premier mariage ennuyant et qu'il a cherché à changer du tout au tout la seconde fois.

Sa première épouse avait les cheveux roux. Au début, il insistait pour que je me teigne les cheveux de la même couleur. Je lui ai dit que s'il aimait cette couleur à ce point-là, il n'avait qu'à retourner vivre avec elle.

L'ancienne relation ne s'oublie pas facilement. Vingt-cinq pour cent des secondes épouses ont l'impression que, par moments, leur mari se sent encore marié à sa première épouse. Elles n'en déduisent pas forcément qu'il l'aime toujours, mais plutôt que les liens psychologiques du mariage sont souvent plus difficiles à rompre que les liens émotifs.

Même après notre mariage, j'avais l'impression que j'étais sa maîtresse et qu'elle était son épouse légitime. Ce n'est que lorsqu'elle est venue habiter un jour avec nous qu'il m'a dit avoir pris conscience avec soulagement qu'il était marié avec moi.

Non seulement mon mari ne se sent-il plus marié à sa première épouse, mais il dit qu'il a peine à croire qu'il l'a déjà été.

Mon mari se sent «financièrement» marié à sa première épouse parce qu'il subvient encore à ses besoins et à ceux de leurs deux enfants.

Mon mari est catholique et je crois qu'en son for intérieur il se sent toujours marié avec elle, parce que son Église ne reconnaît pas le divorce.

Malgré les tensions, 80% des répondantes se disent heureuses. Trente-cinq pour cent aimeraient modifier certaines choses qui sont le plus souvent reliées au premier mariage du mari.

Nous sommes heureux ensemble. Mon seul souhait serait que nous puissions acheter une maison et avoir un enfant. C'est impossible pour l'instant, parce que nos revenus suffisent à peine à couvrir nos dépenses et sa pension alimentaire.

Je suis heureuse mais parfois je souhaiterais être sa première épouse. Sans doute ne serait-il pas le même homme s'il n'avait pas vécu avec elle, mais j'aurais préféré qu'ils ne fussent pas mariés. Il n'y aurait pas de liens légaux ni d'enfants, et notre mariage serait beaucoup plus simple.

Il m'arrive d'être heureuse avec lui, mais, lorsque ses enfants nous visitent, notre relation change du tout au tout. Il m'ignore totalement. J'ai le sentiment de n'être rien de plus que sa femme de ménage.

Nous sommes très heureux ensemble. J'aimerais que nous nous soyons rencontrés il y a des années et que nous ayons commencé notre vie ensemble. Ce serait moins compliqué aujourd'hui.

La seconde épouse mène une vie différente de celle de la première. Elle fait face à des problèmes difficiles et à des situations inattendues. Souvent, ce qu'on attend d'elle est non seulement confus mais excessif.

Les secondes épouses doivent comprendre que leur mariage est différent. Cela ne veut pas dire qu'elles doivent accepter leur sort sans rouspéter, ni que leur situation est pire ou meilleure que celle de la première épouse. Il est temps que la société reconnaisse que leur mariage s'assortit de circonstances particulières. À condition qu'elles apprennent à vivre avec ces circonstances plutôt que de les ignorer, elles auront une vie de ménage heureuse et enrichissante.

CHAPITRE 3

Une ex-épouse, ça n'existe pas

Je suis une merveilleuse femme de maison. Chaque fois que je laisse un homme, je garde sa maison.

Zsa Zsa Gabor

La citation résume bien le propos de ce chapitre. Elle illustre l'attitude de la société à l'égard du divorce et explique que, pour les secondes épouses du moins, il n'existe pas vraiment d'ex-épouse. Nos mœurs, nos lois, le remords, les enfants et les obligations matérielles conribuent à faire durer le divorce plus longtemps que le mariage. En plus des émotions exacerbées par le divorce, tous ces éléments font que les couples désunis restent en contact longtemps après qu'il serait préférable pour chacun des partenaires de poursuivre séparément son existence.

À l'Université du Wisconsin, où on étudie le phénomène des familles binucléaires (composées des ex et des nouveaux conjoints et de leurs enfants), on a découvert que 65% des ex-conjoints restent en contact régulier. Lorsqu'il y a des enfant, le contact est plus étroit et les parents divorcés traitent aussi régulièrement de questions qui n'ont pas de rapport avec les enfants. Plus de 65% des parents qui ont la garde conjointe des enfants passent du temps en famille. Environ 35% des couples en conflit permanent restent quand même en contact.

Une rente à vie

La citation de Zsa Zsa Gabor, prototype de la divorcée moderne, fait sans doute sourire. Elle n'est guère amusante, cependant, dans le sens où elle encourage l'idée que les femmes doivent obtenir la sécurité matérielle par l'entremise du mari et que celui-ci doit payer, d'une façon ou de l'autre. En considérant les femmes comme des possessions (totalement dépendantes du mari sur le plan financier) au moment du divorce, nos lois ne favorisent pas non plus la cause de l'égalité. Elles présupposent, en somme, que les femmes sont incapables de subvenir à leurs propres besoins. Au-delà de la rupture, le mari reste responsable du bien-être de sa femme, souvent pour le reste de ses jours. Lorsque la situation est inversée, le mari ne touche une pension que pour une période limitée, jusqu'à ce qu'il ait terminé ses études, trouvé un emploi ou se soit recyclé de manière à recouvrer son indépendance financière. On n'encourage pas les femmes à rechercher la même indépendance. Nos lois et nos coutumes lient la divorcée au mari jusqu'à sa mort ou, du moins, jusqu'à ce qu'elle se remarie. Le principe implicite, c'est qu'avec un autre homme pour subvenir à ses besoins, la femme n'a plus besoin de son ex-mari. Dans certaines sociétés, les femmes sont transmises du père au mari comme un bien et n'existent pas sans le soutien et la protection d'un homme. Les femmes soi-disant libérées des années 80 trouvent sans doute cette idée insultante, mais ce sont souvent elles qui, au moment du divorce, s'entourent d'avocats pour soutirer au mari tout ce qu'elles peuvent.

Bien des femmes se croient incapables de travailler parce qu'elles n'ont pas de métier ou élèvent de jeunes enfants. Si elles étaient veuves ou abandonnées, elles trouveraient pourtant le moyen de gagner leur vie décemment, sinon aussi bien qu'elles le souhaiteraient. Certaines sont convaincues qu'en s'occupant des enfants elles ont contribué à la carrière de leur mari et ont donc droit à son soutien financier. Sans doute font-elles une évaluation réaliste de leur contribution, mais quand le mariage ne tient plus, il convient de réexaminer la situation.

Notre sondage révèle que 60% des ex-épouses ne travaillent pas même si elles travaillaient avant leur mariage, tandis que 74% des secondes épouses, travaillent. Pourquoi?

L'épouse qui ne décroche pas

L'ex-épouse qui ne décroche pas obéit d'abord à la vengeance: «Si je ne l'ai pas, se dit-elle, personne ne l'aura.» Qu'elle ait quitté son mari ou que ce soit lui qui l'ait quittée n'y change rien. Son sentiment sera encore plus vif si le mari semble vouloir se remarier, symbole ultime du rejet. C'est comme s'il disait: «Je serai plus heureux avec une autre.» La soif de vengeance de la divorcée peut la lier davantage à son ex-mari et à sa nouvelle épouse. L'argent est une vengeance efficace et pratique. En saignant son ex-mari, la divorcée fait d'une pierre deux coups: grâce au chèque mensuel, elle s'immisce dans son ménage, et elle le punit en acceptant son assistance sans rien fournir en retour.

Jane, secrétaire âgée de trente-six ans, mariée à Alex depuis six ans, dit qu'elle enrage encore lorsque son ex-épouse appelle. Elle déteste ses intrusions constantes dans leur ménage et ses fréquentes demandes d'argent.

Il m'arrive de lui raccrocher au nez si mon mari n'est pas à la maison. Elle essaie toujours de convaincre Alex de lui donner plus d'argent ou de faire un petit spécial pour les enfants. Elle a pratiquement tout raflé après le divorce, et maintenant que nous avons réussi à nous bâtir une certaine sécurité financière, elle veut s'en prendre à ça. C'est comme si elle le considérait toujours comme son mari. Je trouve cela insupportable. La dernière fois qu'elle a appelé, c'était pour le convaincre de lui acheter une nouvelle maison afin que les enfants soient plus près de nous. Je souhaite qu'elle se trouve un nouveau mari, mais pourquoi le ferait-elle? Peu d'hommes font autant que ce qu'Alex lui verse en pension. Dans les circonstances, elle est bonne pour la vie.

Certaines ne reculent devant rien pour s'immiscer dans le nouveau ménage du mari. Elles y arrivent d'autant plus facilement s'il y a des enfants qui circulent d'une maison à l'autre et rapportent toutes sortes d'informations.

Les enfants de mon mari nous visitent une fin de semaine sur deux. Il y a quelques mois, nous avons acheté un nouveau divan, et elle l'a appelé dès que les enfants sont rentrés pour en réclamer un.

En plus d'être une source d'informations et de servir de prétexte pour rester en contact, les enfants peuvent être une arme dans la guerre du divorce.

L'ex-épouse de mon mari se sert de son fils pour l'atteindre. C'est sa revanche. Elle veut lui faire mal et ne semble pas se soucier que l'enfant en souffre aussi. Mark avait l'habitude d'aimer nous visiter. Sa mère n'en était pas tellement contente. J'imagine qu'elle ne voulait pas que son fils en vienne à trop m'aimer, de toute façon, elle voulait punir Jeff. Maintenant, chaque fois que nous allons le chercher, il hurle qu'il ne veut plus voir son père. Elle lui dit des choses comme: «Ton père ne t'aime plus, c'est pour cela qu'il ne veut pas nous donner plus d'argent.» Le pauvre n'a que trois ans et ne comprend pas encore la situation. Cela blesse énormément mon mari, mais, après tout, c'est ce qu'elle veut, et il n'y a pas grand-chose que nous puissions y faire.

Ce ne sont pas toutes les mères qui se servent ainsi de leurs enfants pour se venger. Certaines se contentent d'exagérer les problèmes des enfants pour attirer l'attention de leur ex-mari, l'embêter ou s'assurer que son sentiment paternel continuera de le lier à la famille après la rupture du mariage.

L'ex-épouse de mon mari se sert des enfants lorsqu'elle ne trouve pas d'autres façons d'attirer son attention. Lorsque l'un d'eux s'est blessé en jouant au football (il n'a même pas été hospitalisé et n'a eu besoin que de quelques points de suture à l'arcade sourcilière), elle a appelé mon mari au travail et l'a fait venir à la salle d'urgence en lui disant que son garçon avait une commotion cérébrale. Une fois, elle l'a fait venir chez elle pour discuter des notes de leur fille (des B et des C) et lui dire que celle-ci avait besoin de la stabilité de la vie familiale qui était la leur quand ils étaient mariés.

Cet exemple montre bien comment les secondes épouses perçoivent l'ex-épouse de leur mari, surtout si le divorce est récent.

Nous traversons une période difficile due au fait que je me sens «menacée» par son ex-épouse. Par «menacée», j'entends que je crains qu'elle veuille le reprendre, et qu'il se sent coupable, et responsable de son bien-être. C'est dur parce que je n'avais jamais pensé devoir «partager» mon mari d'aucune façon avec une autre.

Un vendredi soir que mon mari devait prendre les enfants, elle l'a accueilli vêtue d'un négligé. Elle avait préparé son mets favori, ouvert le champagne et éclairé la table aux chandelles. Elle voulait le séduire pour qu'il retourne avec elle. Le plus drôle, c'est qu'elle n'a jamais fait ça quand ils étaient mariés.

Pourquoi une femme voudrait-elle reprendre son mari après l'expérience pénible d'un divorce? Bien sûr, il y en a qui ne s'intéressent plus au mari qu'elles ont rejeté ou qui les a rejetées. Mais il y en a aussi qui, se sachant rejetées, sont prêtes à tout pour prouver qu'elles ne le sont pas. Le rejet est extrêmement difficile à accepter, parce qu'il est la négation d'une vie et nous oblige à nous remettre en question. En regagnant son mari, la femme rejetée se prouve à elle-même et aux autres qu'elle a du mérite et que les efforts qu'elle a déployés comme épouse n'ont pas été vains.

Certaines femmes, particulièrement celles qui sont nées durant le premier tiers du siècle, se définissent par leur mariage. Le divorce les prive d'une partie importante de leur identité. Le mariage était pour elles une carrière autant qu'une relation. Elles se considèrent toujours mariées, mais privées de leur raison d'être.

La femme peut chercher à ravoir son mari parce que le mariage la sécurisait (même s'il n'était pas satisfaisant) et la dispensait en tout cas de fréquenter le milieu des célibataires. Mais la première épouse qui ne veut pas lâcher prise ne fait que perpétuer un cercle vicieux. Elle consacre tellement de temps et d'énergie à essayer de reconquérir son ex-mari et à se faire croire que leur mariage reste possible qu'elle n'a pas le temps de se refaire une vie.

Le mari peut céder parce qu'il n'est pas facile de résister à la familiarité, aux souvenirs, à la promesse d'une vie sexuelle renouvelée, à la perspective d'être réuni avec ses enfants et au sentiment de satisfaction qui procède de la reprise d'une relation qui n'aurait jamais dû se dénouer. La seconde épouse a toutefois un avantage, dans de telles situations. C'est elle qui vit chaque jour avec lui. Avec le temps et la persévérance, elle peut faire en sorte que les plaisirs de la vie quotidienne éclipsent les souvenirs agréables et le sentiment de sécurité du passé. Voici comment deux répondantes s'y sont prises pour venir à bout du problème que posaient la relation de leur mari avec son ex-épouse et les tentatives de celle-ci pour le leur ravir.

> *Je pensais qu'en étant compréhensive, voire légèrement sympathique au point de vue de son ex-épouse, ils finiraient par ne plus se voir. Voilà dix ans que ça dure et il la voit toujours régulièrement. C'est un peu comme s'il était marié aux deux, sauf qu'il couche avec moi.*

> *Mon mari n'a plus de contacts avec son ex-épouse. Elle se rapprochait un peu trop et j'ai dû y mettre le holà. C'est mon mari maintenant, pas le sien. Je lui ai dit que s'il avait quoi que ce*

soit à voir avec elle, je mettrais fin sur-le-champ à notre relation.

De ces deux extrêmes, la seconde solution est sans doute la meilleure, même si elle semble sévère. Elle donne à la seconde épouse et à son mari la chance de bâtir une nouvelle vie, à l'abri des pressions et des requêtes de la première épouse. Elle permet aussi à la première épouse de refaire sa vie.

Les ex-épouses n'ont pas toutes envie de reprendre avec leur mari, mais elles désirent maintenir une relation parce qu'elles se considèrent toujours comme les épouses légitimes, les autres n'étant que des usurpatrices (perception partagée par les amis et la famille du mari). Sinon, pourquoi continueraient-elles de porter le nom du mari alors que d'autres ont acquis le titre? Le divorce les prive de leur identité, comme l'homme qui n'a plus d'emploi. Elles sont mariées, mais dépouillées de leur identité.

Les secondes épouses sont sans doute les seules au monde à être privées du respect associé au mariage. Elles sont perçues comme «l'autre femme» dans la vie du mari. Il leur semble pourtant que c'est la première épouse qui est «l'autre» dans leur ménage.

Le mari qui ne décroche pas

Les premières épouses ne sont cependant pas toujours à blâmer. Il leur arrive d'être malgré elles l'objet d'attentions conjugales de la part d'hommes qui ne sont plus leur mari. C'est le syndrome du harem. Certains maris en souffrent après le divorce et même après s'être remariés. Ils restent en contact avec leur ex-épouse et continuent d'assumer le rôle de protecteur, de pourvoyeur et de père qu'ils remplissaient du temps de leur mariage. Ils tentent de satisfaire à la fois leur ancienne et leur nouvelle épouse, tâche surhumaine. Ils montent deux arbres de Noël, tondent deux pelouses, réparent deux plomberies et sont, de façon générale, le mari de deux femmes.

Chris, âgée de trente-trois ans, est directrice des ventes. Elle est mariée depuis quatre ans à un homme qui dit s'être «plus ou moins» éloigné de sa femme parce qu'ils n'avaient pas d'intérêts ni de buts communs. Le problème, a constaté Chris peu après son mariage, c'est qu'il s'en est trop peu éloigné.

John était toujours chez elle pour réparer quelque chose, voir les enfants ou l'aider. Ça m'irritait, mais je n'osais pas lui en parler, de peur de l'y pousser davantage. Je ne voulais surtout pas qu'il aille se consoler chez elle. J'ai dissimulé mes sentiments et tenté de l'occuper pour l'empêcher d'aller chez elle. À notre premier Noël, je lui ai demandé à quelle heure il voulait réveillonner. Il m'a dit qu'il aimait réveillonner dans l'après-midi, mais de ne pas cuisiner avant la soirée parce qu'il dînerait chez sa première épouse. Je n'en croyais pas mes oreilles. Il allait dîner chez elle ce jour-là. J'ai éclaté et je lui ai finalement dit ce que je pensais de sa relation avec son ex-épouse. Il m'a traitée d'égoïste et m'a dit qu'il ne pouvait la laisser seule. Il ne semblait pas se rendre compte que s'il y allait, c'est moi qui serais seule.

Le syndrome du harem provient du remords et de l'orgueil. À tort ou à raison, le mari se sent coupable d'avoir quitté sa première épouse et est prêt à tout pour se racheter.

Lorsqu'il a quitté son épouse, John se sentait si coupable qu'il lui a tout laissé, sauf le linge qu'il avait sur le dos. Après dix ans, il lui verse encore une pension alimentaire même si elle gagne 35 000 $ par année.

Quand Marianne, ménagère âgée de trente-quatre ans, a épousé Fred, il était rongé de remords à propos de son premier mariage, rompu trois ans auparavant. Marianne a d'abord cru que Fred et son ex se comportaient d'une manière fort civilisée. Ils se voyaient socialement et paraissaient en assez bons termes. Elle ignorait tout des remords de Fred.

Je ne savais pas à quel point Fred se sentait coupable. Si j'avais été plus alerte, peut-être aurais-je pu déceler des signes, mais je pensais vraiment que tout était oublié. Un jour, j'ai rencontré son ex-épouse dans un grand magasin et nous avons commencé à jaser. J'ai remarqué qu'elle avait une bague identique à la mienne et je lui ai demandé où elle se l'était procurée. Sans sourciller, elle m'a répondu que Fred la lui avait donnée. En poussant un peu plus, je me suis rendu compte que Fred n'avait jamais cessé de lui offrir des cadeaux depuis notre mariage. Chaque fois qu'il me faisait un cadeau, il lui en faisait un aussi. J'ai eu un de ces chocs. J'ai dû lui dire que je n'admettais pas qu'il donne des cadeaux à son ex-épouse tandis que nous étions mariés. L'idée que certains des cadeaux étaient identiques me révoltait. Je ne représentais donc rien de spécial pour lui ou, en tout cas, rien de plus qu'elle. C'est alors qu'il m'a avoué comme il se sentait coupable de l'avoir laissée. Je suppose que de nous acheter des cadeaux le soulageait. J'ose croire qu'à la place de son ex je n'aurais pas accepté de cadeaux du mari d'une autre femme.

C'est aussi par orgueil que certains maris aiment s'entourer de femmes. Cela rappelle le temps où la puissance de l'homme se mesurait au nombre de femmes et d'enfants qu'il avait. Le mari dont l'orgueil est blessé par un échec se laisse facilement prendre au piège. Il peut se dire en son for intérieur qu'il n'a pas échoué puisque deux femmes le désirent. Les premières épouses ne sont évidemment pas toutes intéressées à reprendre leur mari ou même à le revoir. Mais certains hommes ne se font pas à l'idée qu'une femme, leur ex en particulier, puisse se débrouiller sans eux. La situation peut être aussi gênante pour la première épouse que pour la seconde. Souvent, les deux femmes aimeraient qu'il mette de l'ordre dans sa tête et se conduise comme le dicte la situation et non pas son orgueil.

La possessivité est très voisine de l'orgueil. La seconde épouse met quelquefois du temps à se rendre compte que son mari continue d'éprouver un sentiment de possessivité à l'égard de sa première épouse. Il faut un événement spécial, tel un mariage, pour tout révéler au grand jour.

Isabelle, âgée de quarante-deux ans, est éditrice. Son mari, David, s'entendait bien avec sa première épouse et leurs enfants, tout comme elle, du reste. Durant les cinq premières années du mariage, Isabelle n'éprouva pratiquement aucun des problèmes qu'affrontent généralement les secondes épouses... jusqu'à ce que l'ex-épouse de David décide de se remarier.

J'ai découvert une facette de la personnalité de David que je ne soupçonnais pas. Après tant d'années de mariage, je ne savais pas qu'il éprouvait encore ce genre de sentiments pour Francine. Lorsqu'elle a annoncé qu'elle se remariait, David a commencé à se comporter comme un amant jaloux même si nous ne la voyions pas souvent. Il voulait savoir «qui était ce type» et «vérifier ses antécédents». À sa réaction, on aurait cru qu'ils étaient encore mariés. Pendant la cérémonie, il lançait au mari des regards meurtriers. J'ignore qui, de moi ou de Francine, était la plus gênée. J'était blessée que David soit encore aussi possessif envers sa première épouse. Je me demande encore aujourd'hui s'il ne se sent pas toujours un peu marié avec elle.

Les premières épouses amicales

Les relations entre ex-conjoints ne sont pas toujours hostiles. Certains couples divorcés entretiennent des relations amicales. Qu'est-ce que cela implique pour la seconde épouse? Les secondes épouses sont généralement prêtes à un affrontement quelconque avec la première épouse. Bien peu s'attendent à l'inverse. Que faire lorsque l'ex veut être copine? Certaines vont jusqu'à enseigner à leur remplaçante comment prendre soin du mari.

Après le mariage, sa première épouse est venue pour me donner une liste de ses mets préférés, me dire comment il aimait que ses chemises soient repassées et même quand il aimait faire l'amour. Je n'en croyais pas mes oreilles. Il la trouvait, quant à lui, très gentille de se préoccuper de lui. Son intrusion m'a indignée. C'était comme si elle me disait: «Écoute, je le connais mieux que toi parce que je l'ai étrenné.» Par la suite, je l'ai évitée parce que je ne voulais pas qu'elle compare mon mariage au sien.

En donnant ainsi des informations de première main sur le mariage antérieur du mari, la première épouse cherche peut-être à l'établir comme l'original, laissant entendre que ce qui suivra ne peut être qu'une mauvaise copie. Ou peut-être éprouve-t-elle un malin plaisir à informer sa remplaçante de toutes les petites manies qui l'ont rendue folle et qui risquent de lui faire le même effet.

La trêve, chaleureuse ou glaciale, a ses mérites. L'ex-épouse peut contribuer à la tranquillité d'esprit de tout le monde en disant clairement aux enfants qu'il n'y a pas de guerre ouverte entre les deux ménages. Rien n'est pire qu'une ex-épouse amère qui dit sans cesse du mal du mari et/ou de sa nouvelle épouse, transformant les «week-ends du père» en un enfer. En fait, les secondes épouses disent d'abord éprouver de la sympathie pour l'ex-épouse de leur mari.

La demande de divorde de Ron l'a totalement surprise. Je peux comprendre ce qu'elle a ressenti. Je sais comment moi j'aurais réagi.

Parfois, je la plains, parce que je sais qu'il ne lui a pas fait la vie facile. Ils étaient jeunes et sans le sou lorsqu'ils se sont mariés, et il la trompait souvent. Il dit que, chaque fois qu'il voulait la quitter, elle lui annonçait qu'elle était enceinte, et il restait. Je pense qu'elle savait qu'il voulait partir et se servait des enfants pour le retenir. Je les plains tous deux parce qu'ils ne faisaient que s'enliser dans leur propre piège.

Son ex-épouse et moi sommes copines, pas au point d'être confidentes, mais elle vient à la maison de temps à autre. Il semble que nous ayons trouvé un terrain d'entente. Je la perçois comme la mère de ses enfants plutôt que comme son épouse.

Malgré la sympathie des secondes épouses pour la première (sentiments rarement partagés), beaucoup disent qu'elle est une source de tension dans le ménage. Certaines, premières et secondes, vont jusqu'au meurtre, hélas, pour se débarrasser de la personne qui les gêne. Il existe des cas bien documentés de femmes qui ont eu recours à la violence contre leur rivale.

La défunte encore présente

Jusqu'ici, il n'a été question que d'ex-épouses vivantes, parce que c'est la situation la plus fréquente. Mais les femmes qui marient un veuf se heurtent à d'autres problèmes. Quoiqu'elle ne soit pas là en chair et en os pour influencer le mariage, la défunte conserve un certain degré d'autorité, autorité qu'elle avait acquise avant sa mort ou qu'on lui a prêtée par la suite. Dans les deux cas, ce n'est guère agréable pour la deuxième épouse.

Comme beaucoup d'autres, mon mari avait inscrit une partie de ses biens au nom de son épouse. À sa mort, il a appris avec surprise qu'elle avait tout légué à d'autres, y compris ses enfants, ce qu'il considérait lui appartenir. Le testament spécifiait qu'en cas de contestation les enfants seraient déshérités et leurs biens cédés à un organisme de charité. Il n'a donc pas contesté, mais il ne comprend toujours pas ce qui a pu entraîner cette gifle posthume. Même s'il y a longtemps qu'elle est morte et que nous sommes mariés, elle et son testament restent de fréquents sujets de discussion.

La première épouse de mon mari est morte tragiquement lorsque les enfants étaient en bas âge. Je sais qu'il l'aimait profondément et qu'il n'aurait jamais songé au divorce (ni elle, d'ailleurs). Lorsque nous nous sommes rencontrés, je suis tombée follement amoureuse de lui, mais je sais que, même si nous sommes mariés et que nous avons un enfant, elle reste l'amour de sa vie. Ça fait mal, parfois, de savoir qu'il l'aime comme je l'aime et que ça ne changera jamais.

Mon mari était divorcé et nous étions déjà mariés lorsque son ex-épouse est décédée. Avant sa mort, il n'en disait pas beaucoup de bien, mais après, il en a fait une sainte. Je n'en revenais pas. Par comparaison, évidemment, je ne suis qu'une simple mortelle qui fait des erreurs, a mauvais caractère, etc. Je n'ai certes pas le meilleur de la comparaison.

La première épouse de mon mari est morte dans un accident d'auto. Elle était alcoolique. Après le mariage, nous avons obtenu la garde des trois enfants. J'étais d'accord sur tout, sauf qu'ils me reprochent la mort de leur mère. «Si papa ne t'avait pas épousée, disent-ils, maman ne serait pas morte.» J'ai du mal à l'accepter parce que je sais qu'elle était déjà alcoolique lorsqu'il l'a quittée. Mais les enfants me perçoivent quand même comme la vilaine.

Mon mari refuse de se départir de tout ce qui lui rappelle sa première épouse. Nous habitons dans la même maison et toutes ses choses sont là qui l'attendent. Les deux premières années, il ne voulait même pas que je nettoie le dessus de la commode encombré de ses pots de maquillage. C'est comme s'il pensait qu'elle allait revenir d'un instant à l'autre. Il lui arrive même de parler à sa photo.

Les femmes mariées à un veuf, on le voit bien, n'ont pas tout à fait les mêmes problèmes que celles mariées à un divorcé. Et cela se comprend. Le divorce est l'option choisie par l'un des époux ou par les deux pour mettre fin au mariage. Même quand ce n'est pas le mari qui a voulu mettre fin à la relation, il sait que sa femme, elle, a voulu le faire, et cela lui fait au moins voir leur relation sous un jour différent. Mais quand son épouse meurt, le mari pleure la perte d'une femme qu'il aime et désire encore, et non pas d'une femme qui a cessé de l'aimer ou qu'il a cessé d'aimer. C'est pourquoi bien des hommes ont tant de mal à se remettre du veuvage. La seconde épouse qui se voit prise à composer avec une femme qu'elle croyait rayée pour de bon de la vie de son mari, celle-ci ne serait-elle vivante que dans son imagination, est plutôt déconcertée. La cause est souvent perdue d'avance puisqu'on ne se rappelle en général que des qualités des disparus. Ainsi, contre toute raison, les souvenirs que le mari conserve de sa première épouse se couvrent d'une odeur de sainteté. La seconde épouse ne peut rien dire qui ne risque de se retourner contre elle. Elle doit supporter le chagrin, voire l'antagonisme des enfants, qui peuvent la tenir, d'une certaine façon, «responsable» de la mort de leur mère. Il arrive aussi que l'homme se sente responsable du décès de son épouse. La seconde épouse d'un homme dont la première épouse avait succombé au cancer a découvert qu'il se croyait responsable parce qu'il avait lu dans un magazine que le stress pouvait causer le cancer. Il estimait avoir été le facteur «stress» déterminant dans sa maladie.

Le temps arrange les choses. Plus le mari est jeune, plus il a de chances d'oublier et de s'adapter à sa nouvelle vie. Mais souvent la défunte reste présente. Les femmes qui ont une rivale vivante ont donc plus de chance que celles qui ont épousé un veuf. Elles ont au moins l'espoir que la première épouse se remarie et s'éclipse de leur vie. Le souvenir des décédées peut durer toujours. Bon nombre de ces angoisses seraient évitées si on considérait le mariage comme un chapitre de la vie des gens plutôt qu'un arrangement permanent. Les amis, la famille, la société et la loi encourageraient les conjoints dont la relation est terminée à se refaire une vie. La notion courante du mariage suscite beaucoup de vaines angoisses que les secondes épouses sont forcées d'assumer. Elles héritent d'un bagage aussi superflu qu'imprévu. La vie des deux femmes (et celle du mari, pris en sandwich entre les deux) serait simplifiée si le mariage cessait d'être considéré comme une institution à vie. C'est un fait que les relations conjugales sont susceptibles d'échouer. Personne ne mérite d'être puni pour autant. Sans doute est-il sain que la fin d'une relation avec une personne qu'on a aimée inspire du chagrin. Mais que le deuil persiste ou qu'on veuille s'accrocher à cette personne pendant des années n'est pas sain.

La vie est faite de changements, et la femme d'aujourd'hui ne se définit plus par son mariage. Elle devrait donc pouvoir accepter le divorce et passer à autre chose plutôt que de s'accrocher au passé. Il est temps que la société convienne qu'il peut et doit y avoir des «ex»-épouses.

CHAPITRE 4

Cendrillon démasquée

Les enfants commencent par aimer leurs parents; puis ils les jugent; rarement, sinon jamais, leur pardonnent-ils.
Oscar Wilde

Si les enfants ne pardonnent pas à leurs parents, ils sont encore plus sévères envers leurs beaux-parents. Ils le sont surtout envers la belle-mère, puisque, dans notre culture, la mère est le noyau de la famille, et la seule présence d'une belle-mère signifie la désintégration du groupe familial. Insinuer que la mère puisse être remplacée suffit à ébranler les fondements de la famille.

L'animosité que nous éprouvons envers les deuxièmes épouses et les belles-mères en particulier est profondément enracinée. Les contes de *Cendrillon* et de *Blanche-Neige* l'illustrent bien. Ces histoires qu'on raconte aux enfants depuis des générations leur inculquent deux stéréotypes malheureux. Le premier, dénoncé par les groupes qui veulent extirper les stéréotypes sexuels de la littérature enfantine, est celui de la jeune fille sans défense qui attend le prince charmant. L'autre est celui de la marâtre. Hélas, celui-là n'est pas encore contesté. On continue de croire que les belles-mères sont méchantes.

Dans *Cendrillon*, on insiste davantage sur la cupidité de la belle-mère et de ses filles que sur la relation de Cendrillon avec le prince. Imagine-t-on l'influence de ce conte sur les jeunes lecteurs qui ont une belle-mère, surtout les membres de familles mixtes (qui réunissent les enfants de deux ménages antérieurs)? Nous croyons volontiers que nous avons aujourd'hui moins de préjugés que naguère envers les minorités, mais nous continuons d'autoriser cette fausse représentation de la vie de famille. Le cas de Blanche-Neige est semblable. La belle-mère, vilaine de l'histoire, n'est pas cupide et paresseuse comme celle de Cendrillon, mais elle est vaniteuse. Quatre fois, elle tente de faire tuer sa belle-fille parce que son miroir lui dit qu'elle est plus belle qu'elle. Non seulement est-elle méchante belle-mère, mais sa vanité l'entraîne dans une rivalité à mort avec sa belle-fille. Les exagérations du portrait que ces histoires tracent de la belle-mère n'échappent pas aux adultes, mais les jeunes ne sont pas capables du même discernement. Dès le plus bas âge, donc, les contes de fées engendrent tout un bagage de préjugés contre les secondes épouses.

Cendrillon et *Blanche-Neige* sont d'anciens contes qui reflètent des sentiments toujours actuels envers les belles-mères. On n'admet pas facilement qu'une femme élève les enfants d'une autre. Pourquoi? Dans bien des cultures, l'éducation des enfants est un devoir communautaire. L'important est de réunir les enfants à éduquer et les adultes intéressés à le faire. Les liens du sang sont secondaires.

Dans notre société, fondée sur le commerce, le sens de la propriété domine le sens communautaire. Les droits que confèrent la naissance, le sexe et l'âge déterminent la structure familiale. L'homme doit savoir qui sont ses enfants et qui est leur mère pour subvenir à leurs besoins, conformément à son devoir, et assurer sa descendance. L'homme qui a amassé beaucoup de biens veut les léguer à *ses* enfants et non pas à ceux des autres, suivant une morale encore très répandue chez nous.

Le corollaire féminin, c'est que la valeur de la femme est déterminée par ses enfants. Sa sécurité financière dépend donc de l'intérêt qu'elle leur porte. Ces principes ne font guère de place à la bellemère. Anciennement, on s'attendait plus ou moins à ce que les belles-mères maltraitent les enfants dont elles avaient la garde, au profit de leurs propres enfants, de manière à assurer leur avenir.

Rien n'est plus éloquent à cet égard que l'histoire de Cendrillon. Depuis que les mères font peur aux enfants avec l'histoire de la méchante belle-mère de Cendrillon (qui sera peut-être la leur un jour), les choses ont à peine changé. La première épouse s'inquiète de sa sécurité et de celle de ses enfants dès qu'une deuxième épouse apparaît dans le décor, et les belles-mères ont toujours aussi mauvaise réputation.

Réputation fort commode, d'ailleurs. On n'oserait pas imaginer que la mère naturelle puisse être à l'origine des malheurs de Cendrillon. La belle-mère sert de bouc émissaire. Sa réputation est sacrifiée afin de préserver celle de la mère naturelle. C'est elle qui porte toute la responsabilité du drame familial, et le prestige des parents naturels reste intact.

Quatre-vingt-quatre pour cent des femmes de l'échantillon étaient belles-mères. Certaines ont aimé l'expérience, d'autres pas, mais la plupart s'accordent à dire qu'elle était très différente de ce à quoi elles s'attendaient.

La maternité instantanée

La grande différence entre la première épouse et la seconde, c'est que l'une épouse un homme tandis que l'autre épouse habituellement une famille. Près des deux tiers des répondantes étaient célibataires et n'avaient pas de responsabilités familiales au moment du mariage. La maternité instantanée est un choc pour la femme de carrière habituée à vivre seule. Elle ne peut plus s'offrir le luxe de la spontanéité et de l'insouciance. Il lui faut désormais trouver une gardienne avant de sortir et renoncer à ses longues fins de semaine d'intimité pour accueillir les enfants de son mari.

> *Avant de me marier, je passais mes fins de semaine à magasiner, à aller au cinéma, etc., bref, à relaxer après une semaine épuisante au bureau. Depuis, mes week-ends sont plus épuisants que mes semaines. De six heures le vendredi soir à six heures le dimanche soir, il faut que je nourrisse et que j'amuse les deux enfants de mon mari. Nous n'avons plus de temps libre et leur intrusion commence à m'énerver.*

> *Mon travail m'oblige à voyager, et j'avais du mal à combiner cela avec la garde de ses enfants. Ils habitaient avec nous deux semaines par mois et il fallait que j'essaie d'organiser mes voyages à l'extérieur pour qu'ils tombent pendant les deux autres semaines, ce qui n'était pas toujours possible. Mon mari et moi avons souvent eu des discussions animées à ce sujet parce que, pendant mes absences, il était seul pour s'occuper des enfants.*

Quel que soit le degré de présence des enfants, le ménage s'en ressent. La maternité instantanée est fort déconcertante. La seconde épouse ne dispose pas de neuf mois pour s'y préparer. Elle doit aussi se résigner à la place que le mari lui attribue dans la vie de ses enfants. Peut-être souhaite-t-il qu'elle reste à la maison et s'occupe d'eux à plein temps comme le faisait sa première épouse, tandis qu'elle désire continuer à travailler. Souvent, les hommes se remarient pour se délester du fardeau de l'éducation de leurs enfants. C'est un point qu'il est préférable d'éclaircir avant le mariage. Si vous n'aimez pas les enfants ou n'êtes pas prête à jouer le rôle de mère, ne fût-ce qu'à temps partiel, dites-le-lui auparavant. Dites-lui que vous voulez bien que les enfants lui rendent visite de temps à autre mais que vous n'allez pas compromettre votre vie et votre carrière pour remplacer leur mère. Renseignez-vous sur les arrangements concernant la garde des enfants. Ainsi, vous saurez ce qui vous attend. Sachez que la cour peut toujours modifier ces arrangements. Cela risque-t-il de survenir?

Selon les statistiques, l'arrivée d'un enfant au début du mariage augmente le risque de divorce. Le couple a besoin d'asseoir sa relation avant de s'exposer aux pressions de l'éducation des enfants. La présence d'une famille toute faite complique donc encore davantage la relation.

Mon mari pensait sans doute qu'une fois mariée j'assumerais le rôle de mère lors des visites de ses trois enfants, car c'est «le travail de la femme». Je lui ai fait comprendre qu'ils étaient ses enfants et qu'il lui faudrait en assumer la responsabilité au moins à moitié.

Nous n'avons jamais profité de la liberté des débuts du mariage parce que ses enfants étaient presque toujours avec nous. Je les aime et j'adore leur compagnie, mais j'aimerais quand même que nous soyons seuls parfois.

Les tiens, les miens, les nôtres: la famille mixte

Parmi les répondantes qui avaient déjà été mariées (près de 40%), plusieurs avaient des enfants et, les lois étant ce qu'elles sont, elles en avaient généralement la garde. Cela entraîne toute une série de problèmes. Il faut alors conjuguer les besoins de l'épouse, du mari et des enfants de chacun de façon à satisfaire tout le monde. Cet arrangement, qu'on appelle la famille mixte, est de loin le plus difficile à administrer à cause du nombre de personnes qu'il implique, sans parler du climat d'hostilité qu'a pu engendrer le divorce.

À l'origine, il vous faudra pratiquement instituer un régime militaire pour parer à la guerre que risque de susciter la jalousie des enfants. Ses enfants craindront que vous gêniez leur relation avec leur père et vous tiendront peut-être responsable de la séparation de leurs parents. Ils seront jaloux de l'amour que le père vous manifeste. Ils seront déchirés entre l'affection qu'ils vous portent et l'amour qu'ils éprouvent pour leur mère. S'il y a une grande différence d'âge entre vos enfants et les siens, vous traiterez avec deux familles distinctes ayant chacune ses besoins. Vous traiterez aussi avec deux ex-conjoints à propos de la garde et des visites des enfants. Il y aura plus de bouches à nourrir, de lits à faire et d'argent à trouver. Un mariage bien établi aurait du mal à relever le défi. Que dire alors d'un mariage naissant?

Une fin de semaine sur trois, nous avions six enfants à la maison. C'était le bordel. D'abord, ses enfants étaient adolescents et les miens avaient entre cinq et huit ans. Il fallait donc nous soumettre à deux régimes distincts pour l'heure du coucher, le menu et la télévision. Nous étions très, très à l'étroit dans nos trois chambres à coucher. J'avais hâte au dimanche soir parce qu'au moins une partie des enfants disparaissaient.

Parfois, mon ex-mari venait chercher les enfants en même temps qu'elle nous amenait ceux de mon mari pour leur visite hebdomadaire, et nous nous retrouvions tous ensemble dans le salon. L'atmosphère était plutôt tendue. Les enfants ont sûrement l'impression de vivre dans un cirque avec tout ce va-et-vient et le nombre d'adultes qui leur disent quoi faire.

Mes enfants et les siens ne s'entendaient pas très bien. Chaque fois qu'ils étaient ensemble, nous devions intervenir constamment pour faire la paix entre eux. Je ne croyais pas que ce serait le coup de foudre, mais je pensais qu'à la longue ils finiraient par se tolérer. Pas de chance.

Certaines familles mixtes fonctionnent bien. D'autres n'y arrivent pas. Tant de facteurs entrent en ligne de compte qu'il est difficile de prédire lesquelles peuvent réussir. Les familles qui fonctionnent le mieux sont celles dont les parents sont le plus résolus et ne privilégient personne, et dans lesquelles les ex-conjoints n'interviennent pas. Les plus troublées sont celles dont les parents ne veulent pas vraiment des enfants, négligent de dire aux enfants que leur relation est solide et ne peut être ébranlée par leurs actions, ou dans lesquelles les ex-conjoints interviennent constamment et se servent des enfants pour diviser le ménage.

Les plus grands facteurs de réussite de la famille mixte sont la communication et le temps. Les enfants doivent être informés des intentions de remariage de leur père ou de leur mère. Leur coopération sera plus difficile à obtenir s'ils l'apprennent après coup ou à la dernière minute. Il faut qu'ils aient le temps de connaître le «nouveau» parent et ses enfants avant de vivre avec eux. Il est évident qu'ils seront méfiants et défendront jalousement leur territoire. Mais si vous faites un effort d'impartialité et leur communiquez un sentiment d'amour et de sécurité, ils seront vite conciliants. Les enfants s'adaptent beaucoup mieux que les adultes au changement. Vous devrez toutefois leur inculquer un sentiment de permanence. Le divorce a bouleversé leur vie et ils ont peut-être l'impression que si leur famille (qu'ils croyaient invulnérable) s'est désintégrée, rien d'autre ne saurait durer.

Tout cela prend du temps. Les choses ne s'arrangent pas du jour au lendemain et il ne faut rien précipiter. Les enfants sont très possessifs en ce qui concerne leurs jouets, leur chambre et leurs parents. Ils n'acceptent pas spontanément de partager ce qu'ils estiment leur appartenir. Le temps et la familiarité finissent par les convaincre que la nouvelle situation n'est, après tout, pas si désagréable.

Une fois que vous aurez réussi à faire fonctionner la famille mixte, vous aurez un autre défi à relever si vous décidez d'avoir un enfant. Il arrive que les enfants de mariages précédents acceptent de bon gré l'idée d'un nouveau bébé. Cela les rassure en quelque sorte. Ils voient que le changement n'empêche pas la famille de grandir. Mais d'autres éprouvent de la jalousie et de l'animosité envers le nouveau-né parce qu'ils ont l'impression, à tort ou à raison, qu'il prendra leur place dans le cœur du père ou, pis encore, dans son compte de banque et dans son testament.

La naissance de Christine a ravi les enfants d'Alex. Ils voulaient toujours venir voir le bébé. Je pense qu'ils ont commencé dès lors à me percevoir comme une mère plutôt que simplement la femme qui habitait avec leur père, et nos relations se sont grandement améliorées.

La fille de mon mari était très jalouse du bébé (une fille). Elle refusait de la regarder ou d'y toucher et elle s'est mise à faire le bébé et à sucer son pouce. Le jour où elle a compris que nous l'aimions autant, elle a commencé à s'intéresser à sa petite sœur.

Les enfants de mon mari trouvaient répugnant qu'un homme de son âge (45 ans) ait un enfant et ils ne se sont pas gênés pour le lui dire. Nous savions tous deux qu'ils ne se préoccupaient pas tant du bébé que des changements que le père pourrait apporter à son testament.

Le fils de mon mari, qui est adolescent, a mal réagi lorsqu'il appris que j'étais enceinte. Il a aussitôt demandé comment nous allions faire pour payer ses études. Quel égoïste!

Épouse ou belle-mère?

«M'a-t-il épousée parce qu'il m'aimait ou parce qu'il avait besoin d'aide pour élever ses enfants?», se demandent bien des secondes épouses. Une chose n'exclut pas l'autre et certaines femmes sont parfaitement heureuses d'épouser un homme pour l'aider à élever ses enfants. D'autres veulent qu'on les marie pour elles-mêmes. Tout dépend de vos priorités et de ce que vous attendez du mariage. Le pire qui puisse vous arriver, c'est de découvrir qu'il ne vous désirait que comme belle-mère alors que vous pensiez être aimée.

La femme de mon mari est morte à trente-quatre ans, le laissant avec deux jeunes enfants. Je le connaissais depuis des années au bureau et il me plaisait. J'étais ravie qu'il m'invite à sortir. Les choses se sont précipitées. J'étais follement amoureuse. Quand il a demandé ma main, je ne me contenais pas. Ce n'est qu'après que je me suis rendu compte qu'il avait fait vite parce qu'il avait besoin de quelqu'un pour s'occuper de ses enfants. J'ai été très blessée mais je n'ai pas cessé de l'aimer. Je pense que ça ne lui déplaît pas que je sois son épouse, mais je sais qu'il m'a d'abord épousée pour donner une belle-mère aux enfants.

Les petits espions de maman

Les secondes épouses qui font l'apprentissage simultané des rôles d'épouse et de mère découvrent aussi que les enfants qui habitent deux maisons, ne serait-ce qu'occasionnellement, établissent des réseaux de communication dont elles ne veulent pas. Les enfants qui circulent d'un ménage à l'autre ont tendance à se faire rapporteurs. Ils disent à chacun ce qui se passe chez l'autre. Parfois, évidemment, on les encourage à le faire, parce qu'on veut garder l'ex-conjoint à l'œil, et parfois ils répètent simplement tout ce qu'ils ont vu et entendu. La plupart détestent ce genre d'intrusion dans leur vie privée, mais elle est difficile à combattre, surtout si elle est encouragée par les parents.

Les enfants de mon mari rapportaient tout à leur mère à chacune de leurs visites. Si j'achetais ou cuisinais quelque chose qu'ils n'aimaient pas ou si je leur permettais de rester debout un peu plus tard que d'ordinaire, ils le lui disaient dès qu'ils rentraient à la maison. Elle s'empressait alors d'appeler pour nous répéter ce que nous devions faire et ne pas faire avec les enfants. Elle disait qu'ils étaient ses enfants et devaient être élevés comme elle l'entendait. J'avais l'impression d'être une mauvaise gardienne plutôt qu'une adulte capable de prendre des décisions pour le bien des enfants. Je pense aujourd'hui qu'elle agissait ainsi pour faire sentir sa présence et me remettre à ma place.

Chaque fois que nous nous querellions devant les enfants, ils en informaient leur mère et elle appelait pour consoler mon mari et lui faire savoir qu'elle serait toujours là s'il voulait reprendre avec elle. J'essayais de me mordre la langue, mais on doit parfois dire ce qu'on pense, et chaque fois, elle papillonnait autour de lui.

Les enfants n'hésitent pas à dresser les parents l'un contre l'autre pour arriver à leurs fins, surtout si les deux ménages sont à couteaux tirés. Il est donc important de leur faire comprendre dès le départ que vous êtes chez vous, que ce que vous y faites ne regarde que vous et qu'ils doivent le respecter. Bien sûr, si vous les priez d'être discrets avec leur mère, vous devez vous abstenir de profiter des informations qu'ils vous refilent sur elle. Ce n'est que justice.

Un enfant à vous

L'une des révélations les plus tristes du sondage, c'est qu'un grand nombre de femmes désiraient avoir des enfants, mais ont dû remettre leur rêve à plus tard ou y renoncer parce que la garde des enfants du mariage précédent de leur mari les absorbait trop, financièrement ou émotivement.

J'aurais beaucoup aimé avoir un enfant de Doug, mais ses trois enfants étaient si jeunes que je savais que nous n'aurions pas le temps d'en avoir un autre. Je ne pouvais pas non plus me permettre d'arrêter de travailler. Si j'avais eu un enfant, j'aurais voulu lui donner tout mon amour et toute mon attention. Je savais bien que, dans les circonstances, ce n'était pas possible.

Ses enfants ne seront pas autonomes avant dix ans, puis il faudra payer l'université. Nous ne pouvons pas nous permettre d'avoir un autre enfant, même si je le souhaiterais. Je dois m'y résigner, je suppose.

La lettre suivante a paru dans le courrier du *Sun-Sentinel* de Fort Lauderdale. Elle illustre bien le préjugé populaire à propos des enfants d'un deuxième lit.

Chers Dr Berek et Mme Grant,
Vous avez tort de prétendre qu'un homme doit s'assurer de pouvoir subvenir aux besoins des enfants de son premier mariage avant de fonder une seconde famille. Je suis mariée en secondes noces. Nous n'avons pas l'intention de fonder une deuxième famille, mais mon mari n'arrive quand même pas à payer la pension alimentaire de son premier ménage. La situation peut changer, cependant. Dites-vous que l'ex-mari doit attendre que ses enfants soient autonomes avant de songer à se remarier?
(Réponse) En effet, les situations changent... Nous ne pensons pas moins que le père divorcé doit évaluer sa situation matérielle avec soin avant d'assumer d'autres responsabilités.

Outre les pressions financières, les circonstances découragent souvent la seconde épouse d'avoir des enfants. Elle se rend compte, une fois mariée, que son mari a déjà fait l'expérience de la paternité avec sa première épouse. Il a pu l'apprécier, mais il n'est pas forcément prêt à la revivre et n'est pas très tenté de ravoir de jeunes enfants. Souvent, c'est le mari qui dissuade sa femme d'avoir des enfants parce qu'il sait les sacrifices que cela implique et n'est pas prêt à les refaire.

Les maris ne le font pas tous ouvertement. Certains diront à leur épouse qu'ils sont bien prêts à l'accommoder si elle tient vraiment à avoir un enfant, laissant entendre qu'ils ne se sentiront pas très engagé émotivement. La femme est alors privée de la joie de partager une grossesse et un enfant avec l'homme qu'elle aime, et elle doit se lancer dans l'aventure plus ou moins seule. Elle devient presque mère célibataire.

Mon mari acceptait que j'aie un enfant si j'en voulais un, mais je savais que c'était pour me faire plaisir. Il ne voulait pas me priver de l'expérience mais son cœur n'y était pas. Je me suis demandé si je voulais un enfant auquel le père ne s'intéresserait pas, et j'y ai finalement renoncé.

Je crois fermement qu'il faut que les deux parents désirent l'enfant pour élever celui-ci correctement. Je ne voulais pas être mère célibataire mariée. J'ai donc décidé de ne pas avoir d'enfant avec mon mari.

Ce n'est pas toujours le mari qui décourage son épouse d'avoir des enfants; parfois, ses enfants s'en chargent.

Je voulais avoir un enfant de Jœ, mais quand j'ai connu ses enfants du mariage précédent, j'ai changé d'idée. Je ne voulais pas porter la responsabilité d'avoir mis au monde des gens comme eux.

La rivalité et la comparaison

Les femmes qui décident quand même d'avoir des enfants font face à d'autres difficultés que les problèmes financiers. La seconde épouse soupçonne souvent son mari de ne pas aimer ses enfants autant que ceux de sa première épouse. Les enfants du premier lit, comme les premières épouses, sont parés d'une auréole de légitimité (en matière de succession, par exemple). Bien des secondes épouses craignent que leurs enfants ne soient victimes de la même indifférence qu'elles.

Je sais que ça semble bizarre mais je ne voulais pas qu'on parle de mes enfants comme des «autres enfants de Brad».

Je voulais une fille parce que mon mari n'a que des garçons de son premier mariage et je savais qu'il s'attacherait davantage à une fille.

Les secondes épouses qui ont des enfants éprouvent souvent à leur sujet les mêmes sentiments d'émulation que dans les autres domaines avec la première épouse. Elles espèrent que leurs enfants seront aussi intelligents, sportifs et vigoureux que les «siens». Elles ne veulent pas que la comparaison avec les enfants du premier mariage leur soit défavorable. Elles se disent, à tort, que si les enfants du premier lit sont supérieurs aux leurs, ce sont elles qui sont à blâmer puisque le mari a déjà fait ses preuves, pour ainsi dire. C'est qu'elles ne sont pas aussi bonnes reproductrices que la première épouse.

À sa naissance, mon enfant était petit et fragile, tandis que le premier enfant de mon mari était robuste et très beau. Je ne pouvais m'empêcher de penser que, d'une certaine façon, j'avais manqué à mes engagements envers mon mari.

Joy, la première épouse de mon mari, accouchait comme une chatte, comme on dit. Elle a travaillé jusqu'à la dernière semaine de la grossesse, et ses deux accouchements ont été faciles et sans problème. Moi, j'ai été malade comme une chienne tout le temps de la grossesse et j'ai dû garder le lit pendant les trois derniers mois pour ne pas perdre le bébé. Et, pour couronner le tout, j'ai eu une césarienne. Mon mari n'y comprenait rien. Son expérience ne l'avait pas préparé aux grossesses difficiles. Il ne comprenait pas que j'aie tant de problèmes. Il passait son temps à me dire: «Joy faisait ceci, elle mangeait cela et elle n'avait pas de problèmes.» Il n'admettait pas que ça se passe différemment pour moi. Je me sentais terriblement inadéquate.

L'émulation ne se limite pas toujours aux femmes. Les enfants rivalisent souvent pour obtenir l'attention du père, ou son argent, selon leur âge.

Les enfants de mon mari se sont montrés beaucoup plus jaloux de son attention après la naissance du bébé. C'était comme s'ils craignaient de perdre leur place dans son cœur avec l'arrivée d'un nouvel enfant. Nous nous sommes efforcés de leur faire comprendre que leur père aimait tous ses enfants également.

Quelles que soient les circonstances, la rivalité est l'un des démons qui guettent les secondes épouses et que les premières n'ont pas à affronter — à moins que leur conjoint se remarie.

Les problèmes de discipline

Que vous soyez mère de famille mixte ou belle-mère d'occasion, vous aurez aussi à régler des problèmes de discipline avec les beaux-enfants. La question est déjà épineuse chez les parents naturels, car la plupart diffèrent d'opinion sur le moment et la façon de discipliner les enfants. Le problème est cent fois plus délicat pour la belle-mère, il va sans dire.

N'ayant pas vécu avec les enfants depuis leur naissance, au contraire de la mère naturelle, la belle-mère n'a pu établir de règles de comportement. Avec l'éventail d'opinions qui ont cours aujourd'hui sur l'éducation des enfants, il se peut qu'une femme plutôt conservatrice à cet égard épouse un homme dont la première épouse était très libérale. La situation est mûre pour toutes sortes de conflits entre les deux femmes, entre la belle-mère et les enfants, et entre le mari et son épouse.

> *Monica est de l'avis de ces gens qui, dans les années 60, croyaient que les enfants sont des êtres naturels auxquels on doit donner toute liberté de s'épanouir et qui finiront par trouver le bon chemin. Ses enfants viennent tous les week-ends et se conduisent comme des sauvages. Ils mangent avec leurs mains, ne se lavent pas, passent la nuit debout et ne rangent pas leurs affaires. Je n'en pouvais plus. Ma philosophie sur l'éducation des enfants est tout le contraire de la sienne. Je crois que les enfants ont besoin de règlements pour se développer, et qu'il faut leur dire «non» de temps à autre. J'ai dit à mon mari que je n'accepterais plus que ses enfants viennent chez moi tant qu'ils agiraient de la sorte. Maintenant, il les sort ou il les voit chez eux. C'était la seule solution.*

Dans les premiers jours souvent tendus du mariage, les secondes épouses découvrent que les questions de discipline sont une source fréquente de conflit avec leur mari, soit parce que les enfants sont directement responsables d'un problème quelconque, soit parce que leurs habitudes sont un rappel constant du premier mariage du mari. La seconde épouse se sent isolée s'il lui est interdit d'intervenir dans l'éducation des enfants. Elle a alors tendance à compenser en se montrant trop sévère ou trop indulgente et confond le mari qui a souvent établi avec sa première épouse un régime fort différent. «Ce sont mes enfants et je vais m'en occuper», peut décider le mari, ce qui ne fait qu'aggraver la situation, bien entendu.

> *Mon mari et moi n'arrivions pas à nous entendre sur la façon de discipliner son fils de treize ans, qui était boudeur et rebelle. Une fois, je l'ai envoyé se coucher parce qu'il se conduisait*

mal. Lorsque mon mari est rentré, il me l'a reproché. Il m'a dit qu'il était le père de Scott et qu'il savait mieux que moi comment s'y prendre. «Parfait, lui ai-je dit. Occupe-t-en!»

Les femmes qui ont eu des enfants ou qui ont l'habitude de traiter avec les enfants sont souvent prises au dépourvu avec leurs beaux-enfants. Que dire à l'enfant ou à l'adolescent qui vous condidère comme une intruse et ne vous reconnaît pas d'autorité? Les belles-mères se heurtent souvent à des enfants qui refusent d'obéir et leur lancent: «Tu n'es pas ma mère.» Comment les discipliner?

Il vous faut établir, avant même le mariage, que vous avez tout autant le droit de discipliner les enfants que leur père ou leur mère, lorsqu'ils sont sous votre garde. Pour arriver à une relation harmonieuse entre vous et votre mari, et entre vous et ses enfants, il est essentiel de déterminer qui disciplinera les enfants et comment.

L'idéal est que les parents (et les ex-conjoints) s'entendent sur la question de la discipline. Cela créera un milieu stable et une continuité dont l'enfant a besoin pour sa sécurité. Les parents aussi s'en trouveront mieux.

Jo (l'ex-épouse de mon mari) et moi, nous nous sommes entendues dès le départ sur la façon de traiter les enfants. Nous pensions devoir établir une discipline cohérente pour éviter que les enfants ne soient confus et ne tentent de susciter des conflits entre nous. Heureusement, nous avons des idées semblables sur l'éducation des enfants et nous avons eu moins de mal à nous entendre qu'on aurait pu le croire.

À défaut de front commun, vous pouvez faire savoir à l'ex et aux enfants que tous, sans exception, doivent se plier chez vous à certaines règles. C'est dur, surtout si votre mari ne vous appuie pas. Mais, d'ordinaire, les hommes laissent les questions de discipline aux femmes, sauf en cas d'écarts graves. Elles se règlent essentiellement entre vous et l'ex-épouse. N'acquiescez pas à tout. Vous avez droit de discipliner des enfants dont vous avez la garde et la responsabilité.

Lorsque le père abandonne ses enfants

Il arrive que le mari, de son propre gré ou par obligation, ait peu ou pas de contacts avec ses enfants, hors des questions de finances. L'entente est prise au divorce et n'a rien à voir avec la seconde épouse. Mais, quelquefois, elle suit l'arrivée de la seconde épouse dans le décor. L'ex décide de limiter les périodes de garde du mari pour le punir de s'être remarié ou parce qu'elle craint que les enfants ne s'attachent trop à leur belle-mère, menaçant sa relation avec eux.

Certains maris renoncent à voir les enfants parce que cela leur est trop pénible, qu'ils sont las de se disputer avec leur ex-épouse chaque fois qu'ils les voient, ou qu'ils sont résolus à couper tous les ponts avec «elle» et sont prêts à sacrifier les enfants si c'est la seule façon d'y parvenir.

Mon mari voyait ses enfants les week-ends et les jours de congé jusqu'à ce que j'arrive. Lorsqu'elle a appris qu'il allait m'épouser, elle est allée en cour et a obtenu une ordonnance interdisant à mon mari de voir ses enfants ailleurs que chez elle, ou, s'il les sortait, de les sortir en ma compagnie.

Après notre mariage, son ex a tout fait pour brouiller sa relation avec les enfants. Elle ne le laissait pas entrer dans la maison et le faisait attendre sous la pluie pendant une demi-heure lorsqu'il allait les chercher, ou elle changeait d'avis et refusait qu'il les voie. Une fois, elle est partie avec les enfants sans prévenir. Il a été hors de lui pendant des jours, croyant qu'il ne les reverrait jamais. Finalement, nous avons décidé que le jeu n'en valait pas la chandelle et qu'il valait mieux qu'il renonce à les voir. La décision a été très difficile. J'aurais préféré que ça s'arrange autrement, mais il est beaucoup plus heureux depuis qu'il ne les voit plus.

La lettre qui suit montre que les enfants peuvent aussi pousser le père à rompre tout contact avec eux.

Chère Abby,
Je suis une adolescente de dix-sept ans. Quand mon père est parti, il a tout cédé à ma mère: maison, voiture et biens, en plus de verser une pension. Maman travaille, et nous aurions probablement pu nous passer de son argent. Mais pourquoi nous en priver? Papa est remarié et a une nouvelle famille, mais je ne crois pas que ça l'autorise à réduire notre pension. L'an passé, j'ai aidé maman à tenter d'obtenir davantage de mon père. Je suis allée en cour et j'ai témoigné de ce que j'avais vu chez lui, ses choses, son appartement, etc. Le juge a statué qu'il n'avait pas les moyens de nous verser davantage, mais il l'a forcé à

payer les frais de cour. Papa n'a ni écrit ni demandé à me voir depuis. C'est injuste. Je suis son enfant et j'estime qu'il me doit quelque chose.

En théorie, les tribunaux recherchent le plus grand bien des enfants. Le parent qui a la garde peut abroger le droit de visite en invoquant qu'il y va du meilleur intérêt de l'enfant. Un juge s'est ainsi rendu aux arguments d'une mère farouchement catholique qui refusait que ses enfants visitent leur père parce qu'il vivait «dans le péché» avec une autre femme et pouvait exercer sur eux une mauvaise influence. Hélas, des motifs de nature bien douteuse sont souvent évoqués «dans le meilleur intérêt des enfants».

Le droit de visite fait généralement partie de l'entente de divorce. La cour accorde au parent qui n'a pas la garde des enfants un accès «raisonnable» qu'il appartient aux parents de définir. S'ils n'y arrivent pas, la cour s'en charge. Elle précise la fréquence et même le lieu des visites. Dans les deux cas, le parent qui a la garde des enfants a tous les atouts dans son jeu. Même s'il est forcé de permettre les visites, il peut toujours les annuler sous prétexte que l'enfant est absent ou malade. Cela finit par être frustrant pour le parent qui n'a pas la garde. Il ne peut légalement perdre son droit de visite, mais il n'a guère d'autre recours que de citer son ex en justice pour refus de se plier à l'ordonnance du tribunal. La prison étant le châtiment prévu dans ces circonstances, il va de soi que le tribunal hésite avant de condamner le parent qui a la garde des enfants. Le parent frustré de son droit de visite ne peut non plus suspendre la pension alimentaire. Il n'y a donc pas grand-chose qu'il puisse faire. Certains parents qui ont la garde des enfants vont jusqu'à déménager pour les éloigner de l'ex-conjoint. Ainsi, ils n'interdisent pas les visites mais les rendent presque impossibles. De toute façon, le droit de visite ne supplante jamais le droit de garde.

Les pères ne sont pas tous privés de voir leurs enfants après le divorce. Mais, selon le sociologue Frank Furstenberg, de l'Université de Pennsylvanie, le père qui n'a pas la garde des enfants participe à leur éducation moins qu'on ne croit. Il ne fait pas de doute que le divorce ou la séparation entraîne souvent la rupture des relations parent/enfant. L'étude de Furstenberg révèle que seulement 17% des enfants de onze à seize ans voient leur père une fois par semaine. Avec le temps, les contacts diminuent. Soixante-quatre pour cent des pères divorcés depuis plus de dix ans n'ont pas vu leurs enfants depuis au moins un an. Il est vrai que les enfants grandissent et quittent la maison, mais ce n'est qu'une partie de l'explication.

L'étude montre qu'une fois le père parti ses rapports avec les enfants diminuent radicalement.

Quel que soit le motif qui les amène à renoncer aux enfants, certains hommes l'acceptent mal et recourent à des mesures aussi extrêmes que l'enlèvement. La seconde épouse alors ne compte plus. Le désir du père de revoir ses enfants (et d'avoir le dernier mot) est si vif qu'il en oublie tout le reste.

La seconde épouse (et les amis ou la famille) se tient souvent responsable de la rupture des rapports entre le père et ses enfants. Rien n'est plus faux. Quoi qu'on en dise, elle ne s'interpose pas dans cette relation. La décision provient de l'ex-épouse et/ou du père, pas de la seconde épouse. Donc, pas de culpabilisation!

La capitulation

Quelle que soit l'ardeur avec laquelle vous aurez abordé le rôle de belle-mère, vous céderez peut-être un jour au désespoir et serez tentée de capituler. Malgré votre amour, votre compréhension et vos efforts pour vous tailler une place dans la vie des enfants, il se peut que vous n'arriviez pas à vous faire apprécier et encore moins aimer. Peut-être leur mère saborde-t-elle tout, en vous dénigrant chaque fois qu'elle en a l'occasion. Ou peut-être y a-t-il vraiment conflit de personnalités. Le fait d'aimer le père n'implique pas forcément que vous aimerez les enfants ni qu'eux vous aimeront. Ils peuvent en vouloir au père d'avoir «abandonné» leur mère, et vous transférer leur ressentiment. (D'autant que, en vous faisant la vie dure, ils savent qu'ils rendent leur père malheureux.)

Quoi qu'il en soit, viendra un moment où vous devrez cesser de vous taper la tête contre les murs. Si vous avez fait de votre mieux sans parvenir à les toucher, peut-être seriez-vous sage de porter votre attention ailleurs et de vous concentrer sur votre vie et votre ménage. Peut-être feriez-vous bien de rester carrément à l'écart. Mais n'oubliez pas que, sur le plan légal et financier, les enfants sont en partie votre responsabilité.

> *J'ai essayé pendant des années de m'entendre avec les enfants de mon mari. Combien de fois me suis-je mordu la lèvre pour ne pas envenimer la situation. Un jour, j'en ai eu assez. Ils me traitaient comme une esclave. Parce qu'ils étaient les enfants de mon mari, je l'acceptais. Je ne l'aurais pas accepté de mes propres enfants. Finalement, j'ai éclaté et je leur ai dit exactement ce que je pensais d'eux. Maintenant, ils ne me parlent*

plus mais je me sens beaucoup mieux. Je me fous qu'ils me perçoivent comme la marâtre. Pourquoi devrais-je accepter qu'ils me traitent comme ils n'auraient pas osé traiter leur mère, simplement parce que je suis la deuxième épouse de leur père?

Le mot «enfant», faut-il le rappeler, ne désigne pas que des mineurs. Il désigne aussi des adultes, autonomes et parfois mariés. Lorsque je suggère à la seconde épouse de capituler, je ne dis pas qu'elle doit renier ses responsabilités à l'égard de mineurs. Mais si des «enfants» de son âge ou presque lui rendent la vie impossible, non seulement est-il préférable pour elle de tirer sa révérence et de diminuer ses rapports avec eux, mais elle rend ainsi service à tout le monde.

On ne s'étonne pas que les enfants aient été le sujet le plus fréquent de dispute conjugale chez les femmes de l'échantillon. Ils représentent un fardeau financier, empêchent souvent la seconde épouse d'avoir ses propres enfants, et perpétuent les liens du mari avec son ex-épouse. Ils sont donc une source de tension constante dans le ménage.

Ne vous culpabilisez pas trop. Il se peut qu'il faille changer le moment et le lieu de rencontre des enfants et de leur père. Il se peut que vous ayez d'excellentes relations avec les enfants ou que vous ne puissiez tout simplement pas vous entendre. Plutôt que de laisser les enfants compromettre votre relation avec votre mari, retirez-vous. Les époux ne sont pas tenus tous deux de s'impliquer dans leur éducation. En vous mariant, vous vouliez être son épouse. Peut-être n'est-il pas nécessaire ni possible que vous soyez aussi la mère de ses enfants.

CHAPITRE 5

Les amis, les ennemis et la famille

«Ma famille a été choquée et surprise d'apprendre que j'allais épouser un divorcé. Ils ne croient pas au divorce et ne peuvent pas comprendre que j'aie épousé le mari d'une autre femme.»

Une épouse

«Les familles complexes sont caractéristiques de la société tribale. Elles sont la base de rituels et d'autres activités sociales. Bref, elles établissent l'ambiance sociale et sont les grands points de référence de l'identité sociale.»

Frank Robert Vivelo,
Faculté des sciences sociales,
Université du Missouri

Dans un sens, nous constituons une société tribale. Nous recherchons la présence et le réconfort de tous les membres de la famille, même des plus éloignés, dans des occasions comme le mariage ou les naissances, sinon dans la vie de tous les jours. Ces occasions sont à peu près les seules qui unissent encore des familles dispersées aux quatre coins de la terre. Elles servent de prétexte pour réunir tout le monde.

Les membres de la famille, qu'ils habitent au bout du monde ou au coin de la rue, restent, avec les amis, «les grands points de référence de notre identité sociale», comme le dit Vivelo. Quand nous nous marions ou que nous prenons une décision majeure, nous nous soucions de l'opinion des gens qui constituent notre milieu social immédiat.

Famille et amis perçoivent en général le mariage comme une étape positive. On essaie de mettre le futur conjoint à l'aise et on évite de critiquer le couple ou sa relation, du moins en sa présence. La perspective du mariage (et de la famille) confère à la relation une sorte d'intégrité qui satisfait le besoin de stabilité. Même si on n'aime pas le partenaire ou si on croit que le couple est mal assorti, on ne manque pas de lui faire part de ses félicitations et de ses bons vœux. Le mariage est une occasion de réjouissances et on en fait presque la condition du bonheur. On ne songe pas à intervenir dans les affaires du couple qui se marie pour la première fois. Mais, dans le cas de secondes noces, l'entourage du couple n'obéit plus à ces conventions. Les amis et la famille se croient obligés de se prononcer sur le futur conjoint, voire de critiquer le mariage. Ils iront même jusqu'à rompre les contacts avec le couple s'il ne semble pas tenir compte de leur opinion. La seconde épouse s'engage donc dans une situation potentiellement explosive. Sa famille et celle de son mari, sans parler de leurs amis respectifs, et même la famille de la première épouse si elle est encore dans le décor, en auront long à dire.

Les amis

Les secondes épouses qui ne fréquentent pas les amis que leur mari avait quand il était avec sa première épouse se moquent assez de ce qu'ils pensent. Mais les autres (76%) sont plus vulnérables.

> *Où nous habitons, tout le monde se connaît. Ses anciens amis sont nos amis. Certains sortent même avec son ex.*

> *Nous voyons encore de ses amis d'autrefois, mais seulement à l'occasion. Ils sont gentils et semblent comprendre qu'il est divorcé et remarié. Après m'être habituée à eux et à l'idée qu'ils étaient aussi les amis de son ex-épouse, je me suis sentie à l'aise avec eux. Mais nous ne les voyons pas trop souvent, de façon à ne pas les forcer à prendre parti.*

> *Nous ne voyons plus ses anciens amis. La plupart n'étaient ses amis que par affinité ethnique (elle ne voulait pas qu'il ait de vrais amis). Il nous arrive de les rencontrer. Je me sens un peu inconfortable parce qu'ils me perçoivent toujours comme «la jeune femme qui l'a ravi à sa famille».*

Nous voyons beaucoup ses amis. En fait, ce sont désormais nos amis, car les miens, réprouvant mon mariage, ont peu à peu pris leurs distances.

La majorité des femmes de l'échantillon (84%) se disent à l'aise avec au moins certains anciens amis de leur mari. Mais elles ont dû surmonter la gêne et la crainte d'être comparées à sa première épouse. Certaines ont peur que les amis de leur mari ne les aiment pas. La plupart sont prêtes à faire un effort pour s'entendre avec eux si leur mari y tient. Aucune ne les fréquente si le mari n'en exprime pas le désir. Comment croient-elles être perçues par eux? Favorablement, disent 67% d'entre elles; 21% disent ne pas savoir, et 8% se croient franchement détestées.

Les amis, c'est normal, font partie des pertes associées au divorce. Rares sont ceux qui maintiennent des rapports amicaux avec chaque conjoint après le divorce. Le divorce suscite des alliés et des ennemis. La neutralité peut passer pour une trahison et personne ne peut faire partie des deux camps à la fois. Pour ceux qui se rangent du côté du mari, la seconde épouse devient le test suprême de l'amitié. Certains font tout pour la mettre à l'aise. D'autres prennent plaisir à lui rappeler la vie antérieure du mari. Mais les amis changent au gré des circonstances. Les situations nouvelles créent de nouvelles amitiés. Ceux qui ne peuvent accepter la seconde épouse seront bientôt remplacés par d'autres. Hélas, on ne peut pas se séparer de la famille. La seconde épouse doit composer avec les opinions de la parenté, voire des beaux-parents du premier mariage, qui ont un intérêt plus que passager dans l'éducation des enfants du mari, et donc dans son choix de partenaire.

La famille de la seconde épouse

Dès l'annonce du mariage, la seconde épouse doit plaire à un entourage beaucoup plus nombreux et exigeant que la première. Sa famille, celle de son mari, même celle de l'ex-épouse de son mari se croient autorisée à se prononcer sur elle, son mariage, sa situation financière, ses enfants, la situation financière de son mari, etc.

Parmi les répondantes, 52% disent que leur famille a bien accueilli la nouvelle de leur mariage; 37% disent qu'elle l'a mal reçue et 11% disent que l'affaire ne la concernait pas.

Ma famille a très mal pris la nouvelle. L'idée que je marie un homme divorcé ayant des enfants l'a choquée.

Ma mère m'a dit qu'il ne me voyait que pour s'amuser. Elle ne comprenait pas que j'aime un homme divorcé ayant des enfants. Elle a refusé de venir au mariage et n'a encore jamais vu son petit-fils.

Mes parents étaient heureux que mon mari m'aime, et veuille m'épouser et m'aider à élever mes enfants. Ils perçoivent ses enfants et les miens comme faisant partie d'une seule grande famille qui est la leur.

Mes parents étaient contents pour moi. Ils croyaient au mythe que les secondes épouses s'en tirent toujours mieux que les premières et ont tout ce qu'elles veulent. Ils ne savent pas combien ils se trompaient.

Je n'ai pas vraiment eu de problèmes. Mes parents m'ont simplement avertie de prendre mon temps et de réfléchir. Je suppose qu'ils se disaient que quiconque a déjà divorcé peut le faire encore.

Ma famille était si heureuse que je finisse par me marier.

Ils n'étaient pas très contents. Je suppose qu'ils étaient désappointés que je n'aie pas un mari tout neuf.

Ma mère et mes sœurs, toutes secondes épouses, m'ont d'abord prévenue de tout ce qui m'attendait. Puis elles m'ont encouragée à me marier si j'en avais toujours envie. Au moins, se disaient-elles, elle est avertie.

Je sais que ma mère était très déçue parce que mon mari avait déjà été marié. Je pense qu'elle aurait voulu que je marie un homme neuf, pas un recyclé. Ce n'est pas du tout ma façon de voir les choses.

Mes parents craignaient qu'il ne puisse pas me faire vivre et que je doive puiser dans mes réserves chèrement gagnées pour l'aider à soutenir sa première famille. Ils avaient raison.

Ils s'inquiétaient de ma relation avec ses enfants. Ils m'ont conseillé de rester à l'écart des querelles et des décisions «familiales» pour préserver la paix dans mon ménage. Je sais maintenant qu'ils avaient raison.

En général, la famille respecte le droit des filles d'épouser l'homme de leur choix, mais elle préfère qu'elles marient des célibataires. On a le sentiment que les hommes déjà mariés ont trop de problèmes et de responsabilités, qu'ils sont, en fait, du «matériel usagé». Ils ne correspondent pas à l'idée qu'on se fait d'un bon parti. Les secondes épouses attachent cependant plus d'importance à leur relation avec leur mari qu'à l'opinion de leur famille. Elles sont disposées à rompre avec celle-ci s'il le faut. Le plus souvent, c'est la mère qui intervient et met sa fille en garde ou s'oppose carrément au mariage. Le père accepte de meilleur gré l'idée d'avoir un divorcé pour gendre. Peut-être qu'étant du même sexe il s'identifie davantage avec le mari.

La famille du mari

La majorité des secondes épouses (82%) se disent à l'aise avec la famille de leur mari.

> *Une de ses sœurs est passée par là et me comprend. Le reste de la famille ne m'accepte pas et refuse de nous voir.*

> *Je m'entends très bien avec sa famille. Son père surtout est gentil avec moi, quoique un peu macho. Il est content que son fils s'en soit trouvé «une plus jolie, cette fois-ci».*

> *J'ai de bonnes relations avec sa famille, sans plus. Sa première épouse reste très liée avec sa sœur et je ne pense pas qu'il y ait de la place pour deux.*

> *Sa famille n'a jamais aimé sa première épouse et me traite comme si j'étais la première.*

> *Sa famille m'a très vite acceptée et a tout fait pour que je me sente à l'aise. Je lui en suis reconnaissante, d'autant que j'ai eu beaucoup de mal avec ses enfants.*

> *Ses parents ne m'acceptent pas, mais ses quatre sœurs sont venues au mariage.*

> *J'aime beaucoup sa famille. Je sers même d'intermédiaire. Je me charge de la correspondance, des rencontres, etc.*

La famille du mari, semble-t-il, accepte d'assez bon gré qu'il ait une seconde épouse. Peut-être est-ce parce qu'elle l'a vu souffrir à travers un mariage et un divorce, et souhaite qu'il ait enfin trouvé une femme qui le rendra heureux. Il y en aura toujours — les parents, en général — qui continueront de tenir la première épouse pour la seule légitime et refuseront la seconde. Le plus souvent, ils seront tout simplement écartés de la vie du couple, et ce sont eux qui s'en mordront les pouces.

La famille de la première épouse

Il va de soi que l'homme qui est marié à la même femme pendant des années développe des liens affectifs avec sa belle-famille, surtout s'il a des enfants. Le divorce n'interrompt pas forcément ces liens. Des relations d'amitié ou d'affaires se sont formées, quelquefois, et les enfants maintiennent des rapports avec leurs grands-parents. Comment la seconde épouse s'insère-t-elle dans ce milieu et combien de maris restent en contact avec lui?

Soixante-quatorze pour cent des répondantes disent que leur mari n'a pas de contact avec la famille de son ex. De celles-là, 83% disent que l'idée de tels contacts les laisse indifférentes; 11% la réprouvent et 6% l'approuvent. Celles qui sont indifférentes, il faut le noter, n'ont pas l'expérience de tels contacts ni des problèmes qu'ils entraînent.

Des répondantes dont le mari est resté en contact avec l'ex-belle-famille, 55% y sont favorables, 22% y sont opposées et 22% y sont indifférentes.

Il n'a jamais eu beaucoup de contacts avec eux. S'il en avait, je ne pense pas que ce serait un problème.
Nous ne les voyons pas. Il travaillait pour son beau-père, même après le divorce. Mais le vieux l'a pris en grippe et s'est mis à le dénigrer auprès des clients, lui attribuant tous les malheurs de la compagnie. Il a finalement quitté. L'attitude du père est typique de celle de la famille.

Il est associé à l'oncle de son épouse et tout est donc comme avant. Cela ne me gêne plus. Au début, il me semblait qu'il aurait mieux valu rompre tout contact, mais ce n'était pas possible.

Il voit toujours sa belle-sœur et sa belle-mère, qui est veuve et dépend de ses conseils. Je suis d'accord. Ce n'est quand même pas leur faute s'il n'est plus de la famille.

Il les salue. Le beau-père de son ex nous a donné le chalet de famille et elle le boude. Nous parlons à sa mère et à son frère. Je les connais. Ils adorent mon mari et ça me rend fière d'être avec lui.

Son ex-beau-père habite la même ville. Nous le voyons ou nous l'appelons toujours à Noël. Il est gentil et ça me plaît qu'on reste en contact. On ne cesse pas d'aimer les gens à cause d'un divorce.

Nous ne voyons ni n'entendons jamais parler de sa famille. Je soupçonne pourtant que les enfants manquent terriblement à leurs grands-parents. Comme mon mari a eu la garde des enfants, ils ont dû penser que c'était la fin de leur relation. Mais c'était leur décision plutôt que la nôtre.

Les droits des grands-parents

Dans la majorité des cas, le divorce met fin aux relations du mari avec l'ex-belle-famille, même si la nouvelle épouse serait disposée à les tolérer. Cela soulève la question des droits des grands-parents, question qui prend de plus en plus d'importance puisque le nombre de grands-parents (70% des personnes âgées, aux États-Unis, ont des petits-enfants) coupés de leurs descendants, souvent de façon permanente, augmente au même rythme que le taux de divorce.

Quels sont les droits des grands-parents? Ils ne cessent pas de faire partie de la famille biologique des enfants à cause du divorce des parents. Le couple de grands-parents du côté du parent qui n'a pas la garde des enfants y perd inévitablement au change, cependant.

Dans 20% des cas, le mari obtient la garde des enfants. Sa seconde épouse doit traiter avec les grands-parents maternels qui désirent voir leurs petits-enfants, et cela entraîne une série de problèmes. À quelle fréquence et dans quelles circonstances les enfants sous sa garde devraient-ils voir les grands-parents? Le maintien d'une relation étroite avec les grands-parents sera-t-il sain pour l'enfant ou l'empêchera-t-il, au contraire, de développer des liens affectifs avec sa belle-mère?

Des associations surgissent un peu partout en Amérique du Nord pour défendre les droits des grands-parents. Elles revendiquent l'accès continu des grands-parents à leurs petits-enfants en cas de décès ou de divorce des parents. En 1984, le Sénat américain a été saisi d'un projet de loi autorisant les grands-parents à recourir au tribunal pour obtenir le droit de visite. Pour l'instant, la question est confuse. La seule loi américaine qui couvre les droits de garde et de visite des enfants est la Loi sur le mariage et le divorce. Elle ne parle pas des droits des grands-parents mais, à défaut de lois précises, elle a été utilisée à l'occasion pour confirmer le droit de visite des grands-parents. Au Canada, les jugements varient d'une province à l'autre.

Certains groupes de défense des droits des grands-parents se nuisent toutefois en soutenant des points de vue aussi radicaux que le suivant, paru dans un feuillet publicitaire de l'Association pour les droits des grands-parents:

> *Les tribunaux ignorent les grands-parents. Les parents perdent leurs enfants et les grands-parents n'ont pas le droit de les adopter, d'en avoir la garde ou même de les visiter. La pire situation est l'adoption des enfants par des beaux-parents. Plusieurs États défendent aux grands-parents de visiter les enfants après leur adoption. Peut-être devrions-nous faire front commun et interdire ces mariages.*

On ne saurait blâmer la seconde épouse de refuser de recevoir des grands-parents affichant une telle attitude. Il est évident qu'ils constitueraient une source de discorde dans son ménage et avec ses beaux-enfants.

La seconde épouse doit aussi se demander si ses parents accepteront les enfants de son mari et consentiront à jouer auprès d'eux le rôle de grands-parents. La question peut se compliquer davantage: au pire, il y aura quatre couples de grands-parents, avec filiations différentes, selon que la seconde épouse a des enfants d'un premier mariage, que son mari en a ou qu'ils en ont ensemble. Ce sont les circonstances qui indiqueront à la seconde épouse comment se comporter à l'égard des grands-parents. Il se peut qu'elle puisse satisfaire sans problème aux droits de visite de chacun. Mais le contraire est aussi possible. De plus en plus de grands-parents, de chaque côté, se plaignent que leurs droits sont bafoués du fait que le parent ayant la garde des enfants a déménagé, s'est remarié et ne veut plus rien avoir à faire avec eux.

On voit qu'il y a plus de famille dans l'arrière-cuisine de la deuxième épouse que dans celle de la première. Sa famille nucléaire est plus grosse, et la famille étendue l'est en proportion. Quelquefois, la seconde épouse n'a pas d'autre choix que s'y intégrer. Bien des couples préfèrent rompre tout lien antérieur, familial et autres, et repartir à neuf. C'est une solution extrême, mais autrement ils n'arriveraient pas à survivre. C'est pourquoi tant d'hommes qui se remettent en ménage s'installent dans une autre ville ou projettent de le faire. Il faut se rappeler que, même si on a des devoirs envers la famille, la relation conjugale reste primordiale.

Les ennemis

Les derniers, mais non les moindres, parmi les gens qui font partie de la succession du premier mariage, ce sont les ennemis. Ce sont des gens qui ne vous aiment pas et ne se gênent pas pour vous le dire, et qui sont une source constante d'irritation. Ils deviennent vos ennemis parce qu'ils étaient les ennemis ou les amis de la première épouse de votre mari.

Nous habitons une petite ville où les bons magasins sont rares. Vous savez ce que je veux dire: un comptoir de vaisselle, un comptoir de meubles, etc. Quand nous nous sommes mariés, j'ai voulu acheter quelques articles de ménage parce que nous n'avions, ni l'un ni l'autre, sauvé grand-chose du mariage précédent. J'en ai parlé à mon mari, qui m'a dit: «Ne va pas là, ni là, ni là, etc.» C'est que sa première épouse avait acheté de la literie, de la vaisselle et de la verrerie après leur séparation, et lui avait fait envoyer les factures. Il n'avait pas pu les régler et les marchands n'allaient évidemment pas nous autoriser d'autres achats avant qu'il ne les ait réglées. Ils nous appellent encore pour réclamer le paiement d'articles que je n'ai jamais vus. Nous pourrions faire un petit versement chaque mois, mais je refuse de payer la vaisselle ou les objets qu'elle utilise. Je ne savais pas, en me mariant, que j'allais hériter des dettes de son ex-épouse.

Il y a aussi la ribambelle de gens qui se permettent toutes sortes de remarques et de commentaires désobligeants, même s'ils n'étaient pas près du ménage précédent. Le plus souvent, ce sont des amies ou des copines de classe de la première épouse du mari, ou des membres de son club. Elles ne pardonneront jamais à votre mari, et encore moins à vous, ce que cette «merveilleuse femme» a souffert.

Je voulais me joindre au club de conditionnement féminin qui était le sien (il n'y en a qu'un bon en ville) avant le divorce (elle est remariée et habite un autre État). Ses copines étaient encore là et elles m'ont repéré dès le premier jour. Je n'en croyais pas mes oreilles lorsqu'elles m'ont demandé comment je me sentais après avoir brisé un ménage parfait. Si seulement elles savaient. Quoi qu'il en soit, elles me font la gueule depuis. Je m'en fiche et je continue de penser que ça ne les regarde pas.

L'ex-épouse de mon mari était un peu bizarre (c'est lui qui le dit). Elle avait encore un pied dans les années soixante, parce qu'elle s'habillait et se conduisait en hippie. Après le divorce, elle s'est mise à fréquenter toutes sortes de gens bizarres et à se comporter en adolescente, flânant dans les boîtes de nuit et fumant de la drogue. Elle a rencontré un musicien qui se bourrait de drogues et qui, de surcroît, était homosexuel et alcoolique. Elle l'a épousé il y a environ un an, et ils sont tous deux en chute libre. Elle ne pouvait trouver pire parti, et je pense qu'elle l'a marié pour se venger, en quelque sorte, de mon mari. Ses anciennes connaissances m'arrêtent sur la rue pour me demander si je suis fière de l'avoir poussée à de telles extrêmes. Je leur réponds que ça n'a rien à voir avec moi. On fait ce qu'on veut, dans la vie. Néanmoins, je sais que beaucoup de gens m'en tiennent responsable et me détestent.

Les amis, la famille et même les ennemis composent notre milieu social. Ce qu'ils pensent de nous et de notre style de vie nous touche. La seconde épouse est aimée ou détestée, bien ou mal accueillie, selon ce qu'on pense du nouveau mariage. C'est le mariage qui est en cause, et non la personnalité de la mariée. Les gens qui sont désireux de la connaître lui donneront une chance. Ceux qui ne veulent que prouver au mari qu'il a fait une erreur ne lui passeront rien. Vaut mieux les ignorer.

CHAPITRE 6

La seconde épouse et la sexualité

«Je ne savais pas ce que je manquais.»
Une seconde épouse.

Le bonheur sexuel ne suffit peut-être pas à raccommoder un ménage en détresse, mais la misère sexuelle est la raison qu'invoquent habituellement les hommes pour s'éloigner et parfois divorcer de leur première épouse. Aussi la sexualité joue-t-elle un grand rôle dans le second mariage. Les secondes épouses passent pour des coureuses qui enjôlent les maris. On a vu que cette image est tout le contraire de la vérité. La vérité, c'est que la très grande majorité des hommes et des femmes mariés en secondes noces se disent très heureux sur le plan sexuel, plus qu'ils ne l'étaient dans leur relation antérieure.

Dans ce chapitre, nous verrons pourquoi. Qu'est-ce qui fait que la relation sexuelle avec la seconde épouse est presque toujours satisfaisante? Les secondes épouses sont-elles plus fidèles que les premières? Et le mari? Qu'en est-il du syndrome du harem? Le mari souffre-t-il des séquelles de son mariage précédent? Autant de questions qui seront traitées dans ce chapitre. Il est un autre sujet qu'il nous a semblé nécessaire d'aborder dans ce chapitre parce qu'il est directement relié à la seconde épouse et à la vie de famille en général: l'inceste.

La fidélité

Les couples remariés sont généralement plus fidèles parce qu'ils ont plus d'expérience, ont une meilleure connaissance de la sexualité et ne veulent pas compromettre leur seconde chance de bonheur par des aventures inconsidérées. L'infidélité du couple augmente avec l'âge des partenaires. Chez les couples remariés, la courbe est inverse. Chez les femmes, c'est entre trente-cinq et soixante ans que le taux d'infidélité est le plus élevé: 69,2% disent avoir eu des relations extra-conjugales durant cette période. Chez les hommes, la période critique se situe entre trente et cinquante-quatre ans: 48,9% disent avoir eu des aventures durant cette période. C'est aussi à cet âge que la plupart des gens se remarient et disent qu'ils n'ont pas eu et ne veulent pas de relations extra-conjugales. Et cela vaut aussi bien pour les hommes que pour les femmes, comme on le verra.

Tandis que leurs contemporains qui en sont encore à leur premier mariage entrent dans la crise de l'âge mûr et brûlent de nouveauté, les remariés explorent une nouvelle relation et une nouvelle sexualité. Ils se sont engagés dans une nouvelle vie avec un nouveau partenaire et ne sont pas près de regarder ailleurs.

La seconde épouse et la satisfaction sexuelle

Dans n'importe quelle relation, la satisfaction sexuelle émane du dosage de l'expérience et du désir des partenaires de se plaire mutuellement. Aussi n'est-il pas surprenant que 86% des secondes épouses disent avoir une vie sexuelle satisfaisante. Par comparaison, selon un sondage du magazine *Cosmopolitan*, seulement 46,1% de l'ensemble des femmes disent avoir une vie sexuelle satisfaisante. Pourquoi le taux de satisfaction est-il si élevé chez les secondes épouses?

> *Notre vie sexuelle est très satisfaisante. Ma sensualité plaît à mon mari. Nous ne nous ennuyons pas ensemble.*

> *Jusqu'à récemment, notre vie sexuelle était satisfaisante. Mais il semble que mon mari préfère se contenter. Donc, ça se gâte un peu.*

> *Je suis très heureuse. Nous essayons de nous plaire l'un l'autre, mais je pense qu'il fait plus d'efforts que moi.*

> *C'est extraordinaire. Nous avons l'un et l'autre l'intuition de nos besoins et nous nous efforçons de les satisfaire.*

> *Très satisfaisante. Il connaît mes besoins. C'est un homme affectueux qui ne craint pas de donner ni de recevoir. Il est extraordinaire.*

Notre vie sexuelle pourrait être plus active, mais nous nous efforçons de la rendre continuellement satisfaisante.

La plupart du temps, tout va très bien, sauf que les célibataires me semblent plus aimables avant et après l'amour. Mon mari ne fait pas autant d'efforts qu'il pourrait de ce côté. Peut-être est-ce parce qu'il a été marié longtemps (les deux fois) et qu'il devient un peu blasé.

Notre vie sexuelle est très satisfaisante. Je pense que les conjoints doivent se dire leurs besoins et ce qu'ils attendent d'un partenaire sexuel.

Je ne pourrais pas demander plus. Je ne savais pas ce que je manquais.

Elle est bonne et s'améliore sans cesse. Il essaie de me plaire sexuellement et je lui en suis reconnaissante. Je suis satisfaite de notre relation sexuelle.

La plupart des femmes de l'échantillon disent que leur mari fait des efforts pour leur plaire, qu'il est attentif et affectueux. Les maris n'hésitent pas à s'enquérir de ce qui plaît à leur femme. La pudeur qui embrouille souvent la relation sexuelle des jeunes couples s'est, en bonne partie, dissipée. La communication étant meilleure et les conjoints n'hésitant pas à discuter et à explorer leur sexualité, s'étonnera-t-on que les secondes épouses se disent plus satisfaites?

Non seulement le mari est-il mieux disposé à l'égard de la sexualité, mais la seconde épouse profite de sa maturité physique. L'homme mûr, s'il est plus difficile à exciter, atteint aussi plus lentement l'orgasme, donnant à son épouse tout le temps de goûter son plaisir. Il ne met pas non plus tout l'accent sur l'acte lui-même, et lésine moins sur les préparatifs, les caresses et la conversation avant, pendant et après l'amour, ajoutant au sentiment d'intimité dont les femmes éprouvent le besoin mais qu'elles expérimentent rarement.

En vieillissant, on développe une attitude plus réfléchie à l'égard du sexe. Les femmes qui atteignent la trentaine savent à quoi s'attendre de leurs partenaires. Elles se connaissent mieux, connaissent mieux leurs besoins et sont plus à l'aise en amour. Puisque la sexualité féminine atteint son paroxysme au début de la trentaine, bon nombre de secondes épouses sont à l'âge où, en théorie, elles sont plus à même d'apprécier leur vie sexuelle. Elles sont aussi assez mûres pour savoir que le refroidissement des ardeurs sexuelles du début n'annonce pas forcément la fin de l'amour. Dans le cours d'une relation, c'est une phase normale qui permet au couple de nouer des liens plus profonds et plus durables. Les femmes dans la trentaine qui en sont à leur second mariage (elles sont de plus en plus nombreuses) ont peut-être déjà fait l'expérience de la maternité. Les tracas de la contraception et de la procréation ne gênent donc pas leur vie sexuelle autant que celle des femmes plus jeunes.

Bref, les secondes épouses peuvent compter sur une vie sexuelle plus remplie que les premières. Elles sont plus âgées, plus sages et, ayant comme leur mari plus d'expérience, elles auront peut-être plus de tact dans leur relation conjugale. Comme corollaire, elles sont moins tentées que les autres femmes d'aller chercher satisfaction à l'extérieur du ménage.

L'infidélité

La seconde épouse et l'infidélité

Il y a plusieurs formes d'infidélité. Nous ne retiendrons ici que l'adultère — c'est-à-dire la forme d'infidélité définie par le fait d'avoir des rapports sexuels en dehors des liens du mariage et du concubinage —, sans les connotations morales que lui confèrent les institutions judiciaires et religieuses.

Certaines cultures punissent sévèrement l'infidélité, surtout chez les femmes. Mais, dans notre société, la fréquence des relations sexuelles extra-conjugales a considérablement augmenté depuis quarante ans, tant chez les hommes que chez les femmes. Le phénomène tient à deux facteurs, qui ont tous deux rapport avec les femmes. L'amélioration des méthodes de contraception permet aux femmes de goûter les plaisirs de la sexualité (et d'avoir plus de rapports sexuels) sans craindre de grossesse indésirée. La société étant plus permissive, les femmes sont libres d'exprimer leurs besoins et leurs désirs sexuels. Le sexe n'est plus la chasse gardée des hommes. La relation conjugale, qui suffisait naguère à retenir la femme, se relâche, et les femmes cherchent volontiers des partenaires hors du mariage. L'esprit de liberté sexuelle qu'affichent les célibataires depuis une vingtaine d'années surtout gagne les couples mariés et pousse mari et femme à rechercher des aventures extra-conjugales.

Des études récentes révèlent que 54% des femmes mariées ont eu une ou des liaisons extra-conjugales, comparativement à 47%

des maris. Le taux d'infidélité chez les hommes n'a pas tellement changé depuis trente ans, tandis qu'il a plus que doublé chez les femmes. (Dans sa fameuse étude, Kinsey avait constaté qu'environ la moitié des hommes mais seulement le quart des femmes avaient des liaisons extra-conjugales.) Ces chiffres portent sur l'ensemble des couples mariés. Ils ne sont pas du tout représentatifs des secondes épouses et de leur mari.

Notre étude révèle que 75% des femmes n'ont pas eu ni songé à avoir une aventure. À la question: «Depuis votre mariage, avez-vous songé à avoir une liaison? Pourquoi?», voici quelques exemples typiques des réponses que nous avons reçues.

Non. Cela me surprend, d'ailleurs, puisque c'est ce qui a ruiné mon premier mariage. Je suis très heureuse en ce moment.

L'idée ne m'effleure que lorsqu'un homme me fait des avances. Mon mari et moi ne portons pas d'alliance et cela cause des problèmes à l'occasion. Je n'ai jamais vraiment songé à une liaison. Je suis heureuse en ce moment et je serais bien folle de chercher un amant.

J'y ai pensé mais je ne l'ai jamais fait. Il n'y a rien qui cloche dans le mariage et je ne veux pas le compromettre, mais une liaison me stimulerait.

Non, je n'y pense même pas. Je suis totalement satisfaite.

Parfois, lorsque je songe à tous les problèmes que nous avons eus (l'argent, les enfants, etc.), j'aurais envie de trouver quelqu'un d'autre et de recommencer. Ce serait bien, mais je ne pense pas que j'aurais le courage.

Non. Il m'arrive de regretter de m'être mariée, mais je sais qu'il serait perdu sans moi et je ne pourrais pas être heureuse en sachant qu'il ne l'est pas.

Non. Je n'ai pas besoin d'un autre homme pour me compliquer l'existence.

Évidemment, certaines femmes ont répondu oui.

Oui. J'ai des besoins sexuels qui ne sont pas satisfaits. Je veux être désirée, me sentir femme. Mon mari est trop gêné et trop empesé. Et traditionnel en plus. Sa première épouse se contentait peut-être de deux fois en quatre mois, mais pas moi.

Oui, définitivement. Il ne s'occupe pas assez de moi. Il n'y a plus d'étincelles. Tout est routinier.

Oui. Mon mari n'est pas toujours là quand j'en ai besoin.

Oui. Il me faut quelqu'un d'autre, tout comme il a son ex. Ils n'ont pas de relations sexuelles, mais ils ont une intimité qui est absente de notre relation, parce qu'ils ont des enfants et une expérience en commun. J'aimerais que quelqu'un s'occupe de moi comme il s'occupe d'elle et de leurs enfants.

Il y a deux écoles: celles qui estiment que le jeu n'en vaut pas la chandelle, et les insatisfaites qui, par dépit ou par besoin, cherchent satisfaction hors du mariage. Qu'en est-il des maris?

Les maris et l'infidélité

Soixante-treize pour cent des femmes disent qu'à leur connaissance leur mari n'a jamais eu ni songé à avoir une liaison.

Non. Il a trouvé avec moi le bonheur et la sécurité qu'il recherchait.

Il n'y songe pas. Mon mari est très conservateur.

Il ne le ferait pas. Il était fidèle à sa première épouse.

Il y a toutefois des maris qui en ont eu.

Il a fréquenté une fille et envisagé une liaison, mais il n'a pas pu. Je pense qu'il se sentait trop coupable.

Je pense qu'il en a eu. Les hommes ont, plus femmes, besoin de fantasmes et d'expériences différentes.

Oui, il a eu une liaison avec son ex-épouse.

Il en a probablement eu. Il est humain, après tout.

La première épouse et l'infidélité

La majorité des répondantes croient que leur mari est fidèle et le restera même si elles savent qu'il a trompé sa première épouse. Quarante-trois pour cent disent que leur mari a eu au moins une aventure pendant son premier mariage, ce qui est conforme à la statistique générale de l'infidélité maritale.

Pourquoi les hommes seraient-ils plus fidèles à leur seconde épouse qu'à la première? Une étude récente du docteur Anthony Pietropinto et de Jacqueline Simenauer sur la sexualité masculine (*Beyond The Male Myth*) énumère comme suit les raisons qu'invoquent les hommes pour tromper leur femme: insatisfaction sexuelle, 26,7%; femme irrésistible, 24,8%; querelle de ménage, 18,4%; sentiment d'incompréhension, 10,8%. Puisque 56% des secondes épouses disent que leur mari n'était pas satisfait de ses rapports sexuels avec sa première épouse et que 80% disent que leur mari se plaît davantage avec elles qu'avec sa première épouse, on comprend que les maris soient plus fidèles à la seconde qu'à la première.

Outre qu'il voyait des prostituées à l'occasion, je pense qu'il était plutôt fidèle à sa première épouse.

Il était fidèle plutôt par devoir au début de leur ménage. Mais ça n'a pas duré longtemps. Il a eu quelques aventures.

Mon mari lui était fidèle, et il m'est fidèle également. En fait, quand je l'ai rencontré, il a eu du mal à se dégager d'elle pour entamer une nouvelle relation sexuelle.

Je pense qu'il était satisfait parce qu'il était ignorant sur le plan sexuel. Il ne savait pas ce qu'il manquait. Mais ne faisons-nous pas tous la même expérience la première fois? Si vous le lui demandiez aujourd'hui, il vous dirait peut-être qu'il n'était pas satisfait, parce qu'il a connu mieux.

Je sais qu'il n'était pas satisfait parce qu'il dit que sa femme considérait le sexe comme un pensum auquel elle se résignait, et il blague en disant que c'était tous les samedis soirs, qu'il le veuille ou non. Il ne pouvait pas se permettre de rater l'occasion. C'est différent chez nous. Nous aimons tous deux faire l'amour et il sait que je suis à sa disposition chaque fois qu'il en a envie.

Il y a beaucoup de délicatesse et d'amour dans notre relation, outre l'expérience et la maturité. Ses rapports sexuels avec sa première épouse étaient médiocres. Elle était trop jeune et elle a eu des enfants dès le départ.

Je sais qu'il est plus heureux, parce que nous aimons beaucoup faire l'amour tous les deux. Sa première épouse y consentait parce qu'il le fallait pour garder son homme et avoir des enfants. Elle ne s'y livrait pas par plaisir.

Mon mari dit que sa première épouse n'était pas très habile au lit, et que c'est pour cela qu'il a commencé à la tromper peu après leur mariage. Il me dit toujours que je l'excite. Je suppose que c'est pour cela qu'il est fidèle et qu'il ne l'était pas avec elle.

Le mari est fidèle à sa deuxième épouse, semble-t-il, parce qu'il a avec elle de meilleurs rapports sexuels. Mais le terme «meilleur» est très subjectif. Peut-être ne sont-ce pas les rapports eux-mêmes qui sont meilleurs, mais ceux qui les ont. La sexualité est une chose que l'expérience améliore. La maturité des partenaires contribue aussi à rendre meilleurs les rapports sexuels. Il y a encore d'autres facteurs. Si l'homme et la femme ont tous deux été mariés auparavant, ils éprouvent peut-être le besoin de se rattraper pour les erreurs passées. Ils ont appris, au cours du premier mariage, ce qu'il fallait faire et ne pas faire. Chez les jeunes couples, la sexualité s'exprime souvent de façon égoïste (surtout chez le mari), et le désir de satisfaction personnelle domine la relation. C'est ainsi qu'on en arrive au cercle vicieux mari égoïste / femme frustrée / femme frigide / mari frustré. Heureusement, lorsqu'ils se remarient, les hommes (et les femmes) ont assez d'expérience pour savoir comment plaire à l'autre et comment se plaire à eux-mêmes. Ils savent l'importance d'une relation sexuelle saine dans le couple et sont disposés à faire le nécessaire pour y arriver.

Le syndrome du harem

Il est un type d'infidélité particulier au second mariage et dont la seconde épouse doit être consciente. Près de 10% des répondantes disent que leur mari les a trompées avec son ex. C'est une forme d'infidélité qui peut blesser davantage que de se faire tromper avec une étrangère. La raison en est simple. Les deux femmes sont forcément rivales, surtout au début du mariage. La seconde épouse peut craindre que l'autre ne veuille récupérer son mari, et la reprise d'une relation sexuelle constitue une menace concrète. Elle indique que le mari n'a pas vraiment «laissé» son ex-épouse. S'il voit une étrangère, la seconde épouse peut toujours se rassurer en se disant: «Je suis son épouse et il reviendra.» Mais, dans l'autre cas, elle ne peut que penser: «Je suis son épouse mais elle l'était aussi.»

Qu'est-ce qui pousse les hommes qui ont laissé leur première épouse à avoir une relation sexuelle avec elle après s'être remariés? C'est en partie le syndrome du harem, dont il a déjà été question. La société ne leur permet pas, hélas, d'avoir plus d'une épouse (légitime) à la fois. Ils contournent la loi en se remariant sans vraiment laisser leur première épouse. Cela satisfait leur orgueil et leur sentiment de propriété. Certains hommes croient sincèrement que la femme devient leur propriété dès qu'elle couche avec eux. (Cette attitude ne semble pas se retrouver chez les femmes.) Ils ont beau se remarier, ils n'en pensent pas moins que leur première épouse continue de leur appartenir. D'autres se convainquent que de coucher avec leur première épouse n'est pas comme de coucher avec une étrangère. C'est une expression plus raffinée du même sentiment de propriété.

D'anciens maris compatissants se justifient en disant que leur ex-épouse est seule et n'a personne d'autre qu'eux, mais, en définitive, le résultat est le même. Le mari domine les deux ménages et, présumément, les deux femmes. C'est une façon commode de garder le contrôle.

Il y a aussi — mais peut-être sont-ils moins inquiétants — les maris qui ont une aventure avec leur première épouse par nostalgie. Quelques répondantes ont fait part de ce genre d'incartade. Le mari se retrouve dans une ville ou un milieu familier en compagnie de sa première épouse (à l'occasion du mariage d'un enfant, par exemple) et se laisse aller brièvement à des rapports intimes avec elle. Dans ce cas-là, la seconde épouse se montre en général assez compréhensive. Peut-être est-ce parce que l'incident ne se produit habituellement qu'une fois et ne menace pas le ménage de façon continue.

En renouant avec sa première épouse, le mari ne fait pas que blesser la deuxième. Il cause peut-être plus de tort à la première parce qu'il l'empêche de recommencer à neuf et d'explorer de nouvelles relations. Inconsciemment, c'est souvent son intention. La femme qui envisage de marier un divorcé ferait bien de s'enquérir de la nature de sa relation avec sa première épouse. S'il reste très engagé (et pas seulement sur le plan sexuel), elle n'aura pas de mal à le déceler. Il le trahira par sa conversation et son comportement. Parle-t-il souvent d'elle? Ont-ils des contacts fréquents, voire quotidiens? Sont-ils toujours «amis»? Se voient-ils socialement? Il est plus facile de déceler une relation avec la première épouse qu'avec une étrangère. La seconde épouse sait que la première existe et devrait savoir qu'il y a là possibilité d'une relation intime. N'allez pas croire que le divorce exclut toute possibilité de rapport physique. Si vous soupçonnez quelque chose, agissez.

Pour la seconde épouse, l'infidélité du mari n'a pas les mêmes implications que pour la première. Celle-ci peut toujours se rassurer en se disant qu'il ne s'agit que d'une passade, mais la seconde sait qu'il a déjà abandonné une épouse. La première peut se dire qu'il reviendra au bercail une fois rassasié et qu'il ne les quittera jamais (les enfants, la maison, la voiture, etc.), mais la seconde sait qu'il a déjà tout quitté.

Il ne faut pas en conclure que l'homme qui a trompé son épouse trompera toutes les femmes. Chez la plupart des hommes, l'infidélité est le résultat d'un concours de circonstances, plutôt qu'une véritable habitude. Sachant que son mari a déjà trompé sa première épouse, la seconde épouse peut penser qu'il est bien capable de la tromper elle aussi, mais elle sait également qu'il est moins susceptible de le faire. Les hommes ne sont en général pas prêts à risquer leur deuxième chance de bonheur pour une simple aventure. Leurs ressources émotives et matérielles ne leur permettent pas d'affronter une nouvelle rupture. Ils ont aussi une attitude plus mûre à l'égard de la sexualité et n'y attachent pas autant d'importance qu'à leur relation avec leur épouse. On pourrait ajouter que l'homme qui a une ex-épouse, une deuxième épouse et peut-être des enfants de l'une et de l'autre n'a guère le temps de s'amuser. Bref, la seconde épouse a toutes les raisons de penser que son mari lui sera plus fidèle qu'il ne l'a été à sa première épouse.

Y a-t-il héritage sexuel?

Nous avons demandé aux femmes de l'échantillon si elles pensaient que le premier mariage de leur mari avait influencé son comportement sexuel. Les réponses se sont partagées à peu près également: 41% ont répondu oui, et 46% ont répondu non. Les autres ont répondu qu'elles ne le savaient pas ou n'y avaient jamais pensé.

> *Je pense que son premier mariage l'a influencé. Il apprécie davantage ma sensualité. Sa première épouse n'était pas très sensuelle.*

Oui. Il sait davantage comment me plaire et comment satisfaire une femme.

Je suis sûre que ses treize ans de mariage ont influencé ses habitudes sexuelles.

Oui. Il a retiré de son premier mariage le désir d'aimer et d'être aimé. Quand nous nous sommes mariés, il était prêt à donner et à recevoir.

Il est sorti refoulé de son premier mariage. Il nous a fallu travailler pour le libérer et l'habituer à s'exprimer sur le plan sexuel.

Sa première épouse était très soumise sexuellement. Je pense qu'il souhaiterait que je le sois, mais ce n'est pas ma nature.

Son premier mariage l'avait désabusé. Il n'a pas fait beaucoup d'efforts avec moi jusqu'à ce qu'il voie à quel point ça pourrait être différent.

Oui. Elle faisait absolument tout ce qu'il voulait et je pense que ça l'a rendu très égoïste. Il ne sait pas donner ni recevoir.

Certaines pensent que le premier mariage n'a rien changé aux habitudes sexuelles de leur mari.

Non. Elle ne pouvait rien lui apprendre et je pense qu'il n'a jamais trouvé avant moi de femme compatible avec lui.

Son premier mariage n'a eu aucun effet sur lui. Il était mauvais amant et il l'est toujours.

Les femmes qui pensent que le premier mariage de leur mari l'a influencé sexuellement sont partagées sur la question de savoir si cette influence est bénéfique. Les maris qui ont eu de bons rapports sexuels avec leur première épouse affichent une attitude positive à l'égard de la sexualité dans leur second mariage. Libérés des inhibitions de leur première relation, ils font preuve d'une maturité sexuelle qui ne peut qu'enrichir leur nouvelle relation. Les maris dont le premier mariage n'a pas été satisfaisant sont si heureux de trouver une bonne relation qu'ils y consacrent tout leur talent et toutes leurs énergies. Certaines, peu nombreuses, estiment que leur mari conserve de mauvaises habitudes ou attitudes qu'il avait dans son premier mariage. Elles croient devoir faire plus d'efforts pour développer une relation harmonieuse que si elles avaient épousé un homme qui n'a jamais été marié.

L'inceste

Sans doute se demande-t-on pourquoi il est question d'inceste dans ce chapitre. On évite généralement d'en parler, et même d'y penser. C'est le plus ancien et le mieux enraciné des tabous. La plupart des sociétés bannissent l'inceste et ceux qui s'en rendent coupables. Aussi les gens préfèrent-ils fermer les yeux lorsqu'il se produit chez eux. De 75% à 90% des cas d'inceste ne sont jamais découverts. Et les autres sont habituellement étouffés pour préserver la cellule familiale.

La femme qui a des enfants et qui est sur le point de se remarier (ou celle qui est déjà mariée), et qui soupçonne quelque chose de malsain entre son mari et ses enfants doit savoir que sa famille est particulièrement exposée à l'inceste. Elle peut se consoler du fait que des milliers de femmes sont dans la même situation. Comme de plus en plus de femmes se remarient, le problème va s'aggravant.

Le questionnaire ne mentionnait pas l'inceste, de crainte que les répondantes ne soient pas conscientes du danger ou n'osent pas en parler. Le texte qui suit s'appuie sur d'autres recherches.

Qu'est-ce que l'inceste?

Aux États-Unis la définition légale de l'inceste varie d'un État à l'autre. Souvent, elle omet les relations sexuelles entre beaux-parents et enfants d'un certain âge. Ainsi, en droit anglais, la relation entre un homme et sa belle-fille est illégale si la fille a moins de seize ans, mais elle n'est pas incestueuse. Ceux qui effectuent des recherches sur la violence faite aux enfants considèrent comme incestueux «tout rapport sexuel entre personnes dont le lien de parenté peut empêcher le mariage». Cette définition ne couvre pas la relation entre beaux-parents et beaux-enfants. Pour nous, «tout contact sexuel d'un membre de la famille avec un ou des enfants de l'un ou de l'autre sexe avec ou sans leur consentement» est incestueux. Cette définition ignore la notion de parenté parce que l'enfant est aussi traumatisé par un rapport sexuel avec un adulte lui tenant lieu de parent qu'avec son parent biologique.

La fréquence de l'inceste

Nous croyons volontiers que l'inceste est rare de nos jours, sauf chez les groupes isolés et primitifs. Nous croyons qu'il ne se pratique que dans les classes inférieures et résulte de la pauvreté et du manque d'éducation. Or, l'inceste existe chez nous à tous les niveaux éducationnels, économiques, religieux et sociaux. Les statistiques sur l'inceste étaient rares autrefois, mais, depuis quelques années, on a commencé à dégager les cas d'abus sexuels de la masse de renseignements sur la violence faite aux enfants. Au début, on ne se donnait pas la peine de classer selon les liens de parenté et encore moins de comparer la fréquence des cas d'inceste impliquant le père et le beau-père. Aujourd'hui, cependant, la question reçoit l'attention qu'elle mérite.

La documentation parle indistinctement de «violence», d'«abus sexuel» et, plus rarement, d'«inceste». Le texte qui suit emprunte la même terminologie. Selon l'American National Center for Child Abuse and Neglect, de Washington, on relève chaque année de 60 000 à 100 000 cas (*connus*) de violence contre les enfants aux États-Unis. L'American Humane Association de New York estime, pour sa part, que 200 000 à 300 000 jeunes filles sont, chaque année, victimes d'abus sexuel (y compris les cas non signalés aux autorités). Dans 5 000 cas au moins, l'agresseur est le père.

Une autre étude (1978) révèle 16 000 cas d'inceste père/fille chaque année. En 1983, une étude menée à Toronto pour le compte d'un comité spécial sur la violence a établi qu'une fille sur quatre et un garçon sur dix sont victimes d'abus sexuel, surtout de la part de membres ou d'amis proches de la famille.

Selon Herbert Maisch, 90% des agresseurs sont pères ou beaux-pères. Les enfants des deux sexes (il n'est pas rare qu'un père qui agresse sa fille s'en prenne aussi à son garçon) sont plus menacés par le beau-père que par le père. Selon David Finkelnor, de la Faculté de sociologie et d'anthropologie de l'Université du New Hampshire, le beau-père est cinq fois plus susceptible que le père d'abuser de sa belle-fille. Il arrive aussi qu'un homme marie une femme mère d'adolescentes ou de jeunes enfants dans le but exprès de les séduire. S'il réussit, il perd souvent intérêt pour son épouse.

Les garçons sont moins exposés que les filles à l'agression du père ou du beau-père. Une étude menée en 1978 auprès de 266 étudiants a révélé que seulement quatre d'entre eux avaient eu des rapports incestueux avec un adulte du même sexe. Les cas d'inceste autres que père/fille et beau-père/belle-fille sont donc rares. L'inceste frère/sœur (13%) ou mère/fils (4%) est plus fréquent que le rapport père/fils ou beau-père/beau-fils.

L'inceste est donc plus fréquent entre adultes mâles et jeunes filles, et entre beaux-pères et belles-filles qu'entre toute autre combinaison de parents, de beaux-parents ou d'enfants. L'âge moyen de la fille est de 10,2 ans, ce qui donne à penser que l'homme est le plus souvent l'instigateur du délit plutôt que l'adolescente précoce, comme le veut le préjugé populaire. Les raisons qui expliquent ce comportement sont nombreuses, depuis l'homme complexé, incapable de relations avec des femmes de son âge, jusqu'à la mère frigide, trop heureuse d'abdiquer ses devoirs sexuels en faveur de sa fille pour garder son mari à la maison. Les théories sur le traitement de l'inceste sont aussi nombreuses. Les unes favorisent le traitement individuel. Les autres s'étendent à toute la famille. Nous nous contenterons ici de signaler que, dans bien des cas, le mari semble libre de poursuivre ses relations avec un ou plusieurs des enfants au su de sa femme (qui refuse de se l'avouer, sans doute par crainte de perdre son mari ou par nécessité financière). Les enfants aussi sont complices, de crainte d'être punis ou parce qu'ils sont trop jeunes pour comprendre que la situation n'est pas normale, même si elle les rend malheureux.

Les cas d'inceste se limitent rarement à une ou deux occasions. Une fois le comportement établi, il tend à se perpétuer pendant des années, souvent jusqu'à ce que l'enfant quitte le foyer. Et même alors, le père ou le beau-père risque de se tourner vers une cadette pour remplacer l'enfant qui vient de partir.

L'inceste n'est pas rare dans notre société. Une fille sur cent a des relations sexuelles avec son père ou son beau-père. Et ce n'est que la pointe de l'iceberg. Les secondes épouses qui sont mères d'adolescentes sont davantage exposées au problème. Leur mari n'a pas de mal à se convaincre qu'il ne s'agit pas d'inceste puisqu'il n'existe pas de lien direct de parenté entre lui et la fille de son épouse. Le tabou ne résiste pas à ce genre de raisonnement, tout comme le tabou contre la pédophilie semble se relâcher du fait que la publicité et les médias présentent de plus en plus les jeunes filles comme des objets sexuels.

Les relations beau-père/belle-fille sont-elles à la hausse? La recherche indique que le problème est beaucoup plus répandu qu'on ne le croyait. On y porte aussi plus d'attention du fait que le nombre de divorces et de remariages augmente sans cesse. À l'occasion d'un sondage sur «les femmes et la sexualité dans les années 80», le magazine *Cosmopolitan* rapportait que la majorité des commentaires qu'on lui avait faits sur le sujet de l'inceste impliquaient des jeunes filles et leur beau-père. Une fille de quatorze ans qui subissait depuis huit ans les assauts de son futur beau-père écrivait: «Je n'ai jamais osé parler de Sam à maman. Elle aime son nouveau mari et je ne veux pas qu'elle se sente de nouveau seule à cause de moi.»

Un cas semblable implique une fille de dix-huit ans, victime des assauts de son beau-père depuis six ans. Lorsqu'elle lui a annoncé qu'elle se mariait, son beau-père a tout raconté à sa mère pour se «venger». Les parents ont divorcé et la jeune fille se sent coupable de sa relation avec le beau-père et de la rupture du mariage de sa mère. Cette lettre à «Dear Abby» illustre bien le problème:

> *Chère Abby,*
> *À 27 ans, je peux dire que j'en ai vu. J'ai essayé trois fois de me suicider et j'ai fait deux séjours dans une institution. Je me détestais tellement que je ne me reconnaissais pas le droit de vivre. Je m'en remets peu à peu avec l'aide d'un thérapeute qui m'aide à comprendre que j'étais la victime.*
> *Mes problèmes ont commencé lorsque mon beau-père a abusé de moi à l'âge de huit ans, amorçant une relation qui a persisté jusqu'à l'âge de quatorze ans. Je n'en ai jamais parlé jusqu'à ce que ma petite sœur tombe enceinte de lui à treize ans. À cause de son témoignage et du mien, papa a été envoyé en prison pour sept ans. Ma mère a divorcé.*
> *Je viens d'apprendre qu'il a été libéré sur parole et se prépare à épouser une jeune veuve, mère de deux filles. Je ne sais pas si elle connaît son passé. Si elle ne le connaît pas et qu'il agresse ses deux petites filles, je ne me pardonnerai jamais de ne pas l'avoir prévenue. Devrais-je le lui dire?*

Selon Finkelnor, plus d'un million de femmes, aux États-Unis, ont subi les assauts sexuels de leur père ou de leur beau-père, et quelque 16 000 nouveaux cas se déclarent chaque année. Dans 40% des cas, le délit a été répété, et, dans 55% des cas, il s'est accompagné de violence.

Je ne cite pas ces chiffres par goût du sensationnel ou pour semer la panique. Je désire simplement alerter les secondes épouses au sujet d'une situation qui les touche particulièrement, parce que leurs enfants sont beaucoup plus exposés à l'inceste que ceux de la première épouse.

CHAPITRE 7

La seconde épouse et les sentiments

«Nous camouflons tous assez bien nos sentiments. Lorsque nous disons: «Très bien», nous voulons dire: «Allez au diable.»

Noël Coward

Peu de situations, dans la vie, évoquent autant de sentiments que le mariage. On se marie pour toutes sortes de raisons, dont la moindre n'est pas le désir d'aimer et d'être aimé, de s'épanouir et d'être heureux en compagnie d'un autre être humain. Ces sentiments font partie des gratifications de la vie, et, dans notre culture en particulier où nous avons le loisir de choisir notre compagnon de vie, nous comptons sur notre juste part des sentiments merveilleux qui sont censés dériver de l'amour et du mariage. Les deuxièmes épouses ne font pas exception.

Dans nos conversations avec les femmes échantillonnées, toutefois, il est apparu clairement que les deuxièmes épouses sont en proie à d'autres émotions, à part l'amour, le bonheur et la satisfaction. S'il nous arrive à tous d'éprouver des émotions désagréables dans la vie, la plupart d'entre nous sont prêtes, du moins dans les premiers jours insouciants du mariage, à résister aux «mauvais» sentiments qui les assaillent. Hélas! nombreuses sont les deuxièmes épouses qui ont à se débattre avec la colère, la jalousie, le ressentiment et la culpabilité. La plupart sont tout à fait déconcertées, et plutôt honteuses que leur bonheur se laisse envahir par autant de mauvais sentiments.

Ces sentiments sont d'autant plus accablants qu'ils surprennent la deuxième épouse au moment où elle est le plus vulnérable, c'est-à-dire au début de son mariage, lorsque sa vie traverse une période de changements auquel elle s'efforce de s'ajuster. À moins qu'elle ne soit disposée à y résister, ils peuvent saper son mariage. Certes, toutes les deuxièmes épouses ne sont pas affectées, mais plusieurs ont admis avoir connu une phase durant laquelle ces émotions leur ont causé beaucoup de difficultés, au début de leur mariage. Nous avons tous des préjugés à propos des mauvais sentiments. On nous a souvent appris, dans notre enfance, à les ignorer. Les deuxièmes épouses portent aussi dans leurs relations d'adultes le fardeau de leur premier apprentissage de la vie. Elles ont des préjugés contre ces émotions et cela ne les aide pas à les combattre lorsqu'elles surgissent. En plus d'être plongées dans un état d'inconfort psychologique, les femmes savent que la société n'admet pas qu'elles, en particulier, affichent de la jalousie, de la colère et/ou du ressentiment.

Les deuxièmes épouses, souvent plus que les autres, sont convaincues qu'elles ne doivent pas éprouver de tels sentiments non plus, parce qu'elles ont déjà traversé tant de difficultés avant d'aboutir au mariage (le divorce tourmenté du mari ou le leur, ou la mort d'un conjoint). Elles estiment que leur union ne devrait pas être exposée à plus d'angoisse, ou bien elles partagent le préjugé défavorable de la société à l'égard de la seconde épouse et se disent qu'elles doivent faire plus d'efforts et éviter de se plaindre si les choses ne vont pas tout à fait comme prévu.

On conçoit aisément que, lorsque ces sentiments se manifestent, aucun effort de rationalisation ne peut les dissiper. Il est essentiel que les secondes épouses, et les femmes en général, acceptent le fait qu'elles éprouvent ces sentiments, que les autres les jugent bons ou mauvais. Mais c'est rarement le cas, et, plus souvent qu'autrement, nous les nions et les refoulons en silence tout en prétendant que tout va très bien.

La colère

De toutes les émotions expliquées par les secondes épouses au cours de l'enquête, il n'en est pas qu'elles éprouvaient ou niaient (du moins dans un premier temps) plus fortement que la colère. Elles avouaient presque toutes succomber à la colère plus souvent qu'à tout autre sentiment négatif. Non seulement en avaient-elles contre leur situation, mais elles redoutaient la colère elle-même et ses conséquences possibles.

Ne pas extérioriser sa colère est l'un des plus grands tabous que la société impose aux femmes. La colère est un trait qui n'est définitivement pas souhaitable chez les femmes et que la société essaie de toutes ses forces de réprimer. La célèbre maxime de William Congreve, «L'enfer n'est pas comparable à la fureur d'une femme...», illustre bien l'effort de la société pour faire échec à l'éclosion de la colère féminine. La société nous répète à satiété, dès notre plus tendre enfance, qu'il ne sied pas aux petites filles ni aux grandes d'exprimer leur colère. S'il arrive à une femme, à l'occasion, de sortir de ses gonds, on s'empresse — aussi bien les femmes que les hommes — de l'attribuer avec indulgence au cycle menstruel ou à quelque symptôme avant-coureur d'hystérie. La colère aujourd'hui, tout comme la sexualité à l'époque victorienne, n'est tout simplement pas permise à la femme distinguée.

Quand on n'est pas en colère, on peut fort bien s'accommoder de tout ce bagage culturel qui en réprouve l'expression. Si vous n'êtes pas en colère, vous déplorez aussi son extériorisation, car, après tout, cela dérange. Mais si, plutôt que de reconnaître sa colère, on s'obstine à l'ignorer, à la camoufler ou à l'appeler d'un autre nom, on perpétue la mauvaise situation. Plusieurs des sujets de l'enquête qui ont dit éprouver de la colère à propos de certains aspects de leur situation ont avoué en ressentir une certaine honte. La colère est considérée comme un mal social et, comme les autres maladies sociales, il ne suffit pas de l'ignorer pour qu'elle disparaisse.

La colère peut bien surgir durant la période des fréquentations, mais elle est alors, plus souvent qu'autrement, écartée au profit de sentiments plus enrichissants comme l'amour, le bonheur et la stimulation sexuelle. Plusieurs des femmes interrogées ont dit qu'elles avaient été agacées par certains aspects de leurs fréquentations mais qu'elles s'étaient enfoui la tête dans le sable en espérant que leur colère se dissipe parce qu'elles voulaient que la relation continue. Elles faisaient, comme bien d'autres, l'erreur de croire que tout s'arrangerait «après le mariage lorsque les choses seraient différentes.»

Cela ne s'est cependant pas produit. Leur exaspération a plutôt grandi après le mariage, parce que «les choses n'ont pas changé» et qu'elles ont quelquefois empiré. Ce qui est supportable ou qui peut être ignoré durant la période des fréquentations risque de s'aggraver pour la deuxième épouse lorsqu'elle se rend compte que les petits sujets d'irritation d'avant le mariage persistent dans la vie de couple et ne sont pas près de se régler. Elle découvre peu après, habituellement, que les attentes qu'elle nourrissait à propos du mariage et de son rôle d'épouse ressemblent bien peu à la réalité. Soudain, elle se voit forcée de recevoir des enfants turbulents pendant les week-ends, de subir les coups de fil de l'ex-épouse dans le milieu de la nuit ou les pressions des membres de sa famille qui ne veulent pas voir leur fille consacrer sa vie au «mari d'une autre». Comme dit une seconde épouse: «C'est comme si on avait soudain changé les règles du jeu. Alors que j'étais sa maîtresse, je dois maintenant moucher ses enfants et aller aux exercices de hockey. Je n'avais pas imaginé notre vie comme ça.» La réalité de la vie avec cet homme, en particulier, n'était certes pas ce que sa seconde épouse avait espéré. Qu'elle se soit bercée d'illusions ou pas importe peu. Ce qui importe, c'est que ses attentes ne se sont pas réalisées et qu'elle est, par conséquent, irritée, déçue et amère. Durant leurs fréquentations, elle arrivait à taire les petits instants de colère qu'elle éprouvait lorsque ses week-ends étaient rognés par les exercices de hockey, en se disant qu'après tout il fallait bien qu'il prenne soin de ses enfants. Souvent, après le mariage, ce raisonnement ne suffit plus. Il se transforme subrepticement, dans l'esprit de la femme, en celui-ci: «D'accord, ce sont ses enfants, mais je suis son épouse. Est-ce que mes désirs ne comptent pas?» Les petits pincements de colère deviennent une brûlure lancinante.

Comme les autres femmes courroucées de l'échantillon, celle-là n'échappait pas à l'autre composante du couple colère/crainte. Étant de bonne éducation, donc remplie de tout le bagage culturel qui tend à refouler la colère, elle a aussitôt cherché à étouffer la sienne, non seulement parce qu'elle redoutait les conséquences possibles si elle l'eût exprimée, mais parce qu'elle n'était pas du tout certaine d'avoir le droit d'éprouver ce sentiment. Nier ou déguiser sa colère peut toujours aller pour un temps, surtout qu'il y a tellement d'émotions plus agréables à ressentir. Mais le refus persistant de reconnaître l'existence du sentiment est dangereux. Lorsqu'on pense l'avoir chassé pour de bon, on devient lasse, indifférente, déprimée. L'amour-propre en souffre. La colère innommable, inexprimable a trouvé sa cible: vous.

Plusieurs des secondes épouses de l'échantillon sont passées par ce cycle. D'abord vint la négation de la colère, puis sa reconnaissance et son refoulement, et enfin la dépression. Suite à diverses recherches sur les femmes et la toxicomanie, R. Cooperstock révèle que les femmes ont tendance à faire part de leurs sentiments négatifs au médecin comme moyen de les combattre. Le médecin, inspiré par le courant d'opinion qui encourage les femmes à exprimer plus franchement leurs émotions, tend à leur prescrire des énergisants. Dans une autre étude, J. M. Rogers dit que les femmes se font prescrire des psychotropes parce qu'elles se sentent seules, angoissées, insatisfaites et/ou malheureuses. Il attribue la hausse de la consommation de drogues (et aussi du nombre de visites chez le médecin, parce que neuf femmes sur dix se procurent des drogues sur ordonnance médicale) au fait que les gens sont convaincus que les malaises psychologiques et sociaux ont des causes médicales et des remèdes chimiques. La dépression, l'inadaptation sociale, l'angoisse, les troubles domestiques et notre incapacité de les résoudre sont perçus comme des problèmes médicaux. Au cours d'une étude menée en Écosse, en 1972, sur les différences d'attitudes entre patients féminins et patients masculins, les médecins ont révélé que 96% des femmes et seulement 51% des hommes faisaient part volontiers de leurs difficultés matrimoniales. Il est donc évident que les femmes recherchent (ou sont encouragées à rechercher) davantage l'aide de professionnels tels que les médecins, les psychiatres et les conseillers matrimoniaux pour régler leurs problèmes domestiques. Les deuxièmes épouses n'échappent pas à la règle.

Les femmes ont moins d'exutoires que les hommes pour exprimer et se soulager de leur colère. En général, elles ne peuvent même pas s'en ouvrir à leurs amies ou à leur famille, sous peine de s'exposer à une réprimande du genre «je te l'avais bien dit» ou de voir s'écrouler la façade de bonheur domestique qu'elles ont patiemment édifiée. Elles sont, dans bien des cas, réduites à se débrouiller seules avec leur colère, surtout si elles ne sont pas disposées à prendre le taureau par les cornes et à solliciter une aide professionnelle.

Ce flux sournois d'émotions a poussé plusieurs des femmes qui ont participé à l'enquête à se tourner vers des professionnels. Finalement, elles pouvaient confier à quelqu'un — une tierce partie objective qui ne les blâmerait pas et ne les condamnerait pas — qu'elles étaient vraiment en colère et ne croyaient pas devoir se plier à toutes les situations qui leur inspiraient ce sentiment. Elles étaient aussi soulagées d'apprendre que plusieurs autres éprouvaient le sentiment de honte qu'elles avaient combattu si longtemps et, donc, qu'elles n'étaient pas seules. De plus, en se livrant par écrit, plusieurs des femmes ont pu mettre le doigt, pour la première fois, sur ce qui les mettait en colère.

> *Le questionnaire m'a permis de déballer bien des choses que j'avais sur le cœur. Des choses dont je ne peux d'ordinaire parler qu'avec ma meilleure amie, qui est aussi une deuxième épouse. Je ne pourrais pas en parler avec ma famille, naturellement. On penserait que je veux simplement me plaindre. J'ai*

vraiment peur qu'on me dise: «Je te l'avais dit!» Tout le monde s'attend à ce que vous sachiez dans quoi vous vous embarquez, mais j'avoue sincèrement que je ne pensais pas que ce serait si difficile.

Cela m'a fait vraiment du bien de remplir le questionnaire. Après quatre ans, il y a encore beaucoup de problèmes, beaucoup de sentiments de rage, de ressentiments, de confusion, de heurts, etc. C'est bon de mettre quelques-unes des causes sur papier, de faire voir mon côté de la médaille, pour une fois, plutôt que de toujours entendre parler de cette pauvre première épouse abandonnée qui s'efforce de faire vivre une famille, etc. Je me suis souvent sentie si seule que je me haïssais presque. Je suppose que bien des femmes vivent la même expérience que moi et éprouvent les mêmes sentiments. Il est temps qu'on nous entende.

J'ai rempli le questionnaire parce que ça m'a donné une chance de me soulager de ma colère. Je sens qu'en couchant mes sentiments sur papier je saurai mieux composer avec eux. Je m'aperçois maintenant que ce sont mes sentiments et que j'y ai droit. Jusqu'ici, j'ai toujours pensé que j'étais la seule à avoir ces problèmes, que peut-être je faisais quelque chose de mal. Mon mari m'a dit d'aller voir un psychiatre, qu'il devait y avoir quelque chose qui ne tournait pas rond chez moi, puisque j'avais du mal à m'ajuster à ma condition de seconde épouse. J'ai failli le croire.

De ces témoignages, on peut voir que les secondes épouses réagissent de deux façons distinctes à la colère. La première réaction est dirigée contre soi et s'exprime comme suit: «Il doit y avoir quelque chose qui ne va pas chez moi. Je ne devrais pas être en colère. Mon mari est vraiment un homme merveilleux.» La seconde est dirigée vers l'extérieur, vers d'autres que soi; par exemple: «C'est la faute de son ex. Si elle nous laissait en paix, tout irait bien.» Plusieurs des femmes échantillonnées ont eu la première réaction et se sont blâmées. Elles comprenaient mal leur situation de deuxième épouse, principalement parce que c'est un phénomène relativement nouveau dans notre société et que les règles et les préceptes à suivre sont un peu confus et mal définis en comparaison de ceux de la première épouse. Il y a peu de modèles. Le comportement s'apprend à tâtons, plus ou moins.

Malgré ce que bien des gens pensent, le comportement qui semble convenir chez la première épouse ne convient plus du tout chez la seconde. Si la première épouse découvre que son mari dépense une partie de leurs économies pour sa maîtresse, la société lui permettra non seulement d'être en colère mais de l'exprimer. Si la seconde épouse découvre que son mari dépense une partie de leurs économies pour acheter des cadeaux à sa première, elle est censée se taire. Comme toute autre femme dans les mêmes circonstances, elle sent la moutarde lui monter au nez, mais elle n'y peut rien. L'introvertie se replie sur elle-même parce qu'elle ne sait que faire d'autre. L'extrovertie est plus susceptible de s'emporter. Celles-ci sont minoritaires parmi celles qui ont participé à l'enquête, mais ce sont aussi celles qui sont apparemment les plus heureuses en ménage.

L'une des raisons pour lesquelles les femmes se gardent en général d'exprimer leur colère, au début, c'est qu'elles sont investies de la responsabilité de «gardiennes du ménage». C'est la femme qu'on tient finalement responsable du bonheur et de la satisfaction du ménage. Même si elle est occupée, durant le jour, à monter dans l'échelle de l'entreprise, elle reste encore plus souvent qu'autrement, le soir et les week-ends, celle dont on attend un petit effort supplémentaire pour maintenir la stabilité du mariage. Après tout, *il* a peut-être à se préoccuper d'une autre famille et des paiements d'hypothèque d'une autre maison. Donc, si quelqu'un n'est pas heureux dans le ménage, y compris elle-même, c'est sans doute qu'elle n'accomplit pas son devoir.

En plus des efforts qu'il lui faut consentir pour garder le mariage en bon état, la seconde épouse porte souvent le fardeau de sa colère muette. Comme dit l'une d'elles: «C'était comme de marcher sur des œufs vingt-quatre heures par jour. J'avais vraiment peur de laisser paraître ma colère, parce que je n'étais pas certaine d'avoir le droit d'être en colère. Après tout, je l'ai marié et j'étais censée savoir dans quoi je m'embarquais. Mais je ne le savais pas.» Même si cette femme admettait sa colère, elle n'allait sans doute rien y faire pour l'instant, parce qu'elle en était encore à se demander si ses sentiments étaient justifiables, et comment elle en ferait part à son mari.

Il est évident que plusieurs secondes épouses passent beaucoup de temps à s'inquiéter de leur colère et à tenter de l'éviter. Il est donc temps de préciser que la colère n'est pas une «mauvaise» chose et qu'elle peut être une émotion constructive plutôt que destructive. C'est le symptôme d'un malaise dans le mariage, et, pour que le mariage fonctionne, il faut savoir ce qui ne va pas et le corriger. En profitant de la colère pour améliorer le mariage, on peut découvrir ses faiblesses et, peut-être, y remédier. Si, d'autre part, la femme laisse couver sa colère, elle peut en souffrir tout autant que le ménage. La colère est un signe qu'on ne peut ignorer. Il faut aussi savoir que l'amour et la colère peuvent cœxister. Ce ne sont pas des émotions qui s'excluent. On peut aimer quelqu'un et s'emporter contre lui, au besoin.

Il est certaines choses dont vous devez vous rappeler si vous décidez de donner libre cours à votre colère. D'abord, n'attendez pas que votre mari sache quand et pourquoi vous êtes en colère. Après tout, vous avez si bien réussi à camoufler votre colère qu'il est sans doute persuadé que vous êtes heureuse. N'aggravez pas la situation en vous irritant du fait qu'il ne sache pas quand et pourquoi vous êtes fâchée.

Si son ex-épouse vous met à bout de nerfs, ne présumez pas que, s'il vous aimait, il s'en rendrait compte sans que vous ayez à le lui dire. Il n'est peut-être pas là lorsqu'elle fait ce qui vous irrite, et il est donc légitime qu'il ne soit pas au courant de vos sentiments. Il n'interprète peut-être pas ses actions de la même façon que vous. Parce qu'elles vous portent à tuer, il ne s'ensuit pas qu'il doit réagir comme vous. Il peut supposer que les coups de fil à trois heures du matin ne vous gênent pas le moins du monde puisqu'ils lui sont destinés et n'entraînent pas de confrontation directe entre elle et vous. Il craint peut-être de remuer un nid de guêpes en vous parlant de son comportement. Si vous avez le sentiment qu'il vous cache des choses, pour une raison ou pour une autre, et que ça vous met en colère, dites-le-lui. En fait, pour tout ce qui précède, la marche à suivre est la même: dites à votre mari ce qui vous gêne.

En lui disant que vous êtes en colère et pourquoi, vous en rejetterez sur ses épaules une partie de la responsabilité. Votre fardeau sera plus léger et le sien plus lourd. La question qui se pose alors est de savoir s'il vous écoutera, et jusqu'où. Il peut tout comprendre immédiatement et promettre de demander à son ex, dès le lendemain matin, de cesser d'appeler. C'est possible, mais peu probable. Il peut vous concéder un point et tenter de justifier le comportement de son ex de toutes sortes de façons. (Pense-t-il vraiment que vous croirez qu'elle a peur du noir?) Il peut vous demander si vous avez besoin de valium. De toute façon, il saura ce que vous ressentez. S'il choisit de l'ignorer, votre relation va plus mal que vous ne pensiez.

Si vous avez la veine d'avoir un mari qui vous donne raison sur-le-champ, ne perdez pas votre temps à lire ce chapitre. Vous êtes heureuse et vous avez un mari qui vous est tout entier dévoué. Votre colère devrait s'estomper tout naturellement. Si vous avez un mari qui vous donne raison sur un point et défend sa première épouse, sachez qu'il n'a pas encore rompu tout lien émotif avec elle. Vous aurez fait part de votre colère, mais vous aurez des problèmes à régler. Prenez garde au mari qui choisit de tout ignorer et dévie du sujet. Il ne craint pas de saper votre amour-propre pour éviter d'éventuels affrontements avec vous et/ou sa première épouse. Car s'il vous convainc que vos sentiments ne sont pas dignes d'attention, il est probable que vous les garderez désormais pour vous-même et que vous cesserez de l'embêter avec des problèmes qu'il perçoit comme étant les vôtres.

La jalousie et le ressentiment

Ces sentiments ne sont pas toujours aussi perceptibles que la colère, même si celle-ci peut parfois contenir l'un et l'autre. Celles qui les éprouvent peuvent avoir du mal à se les avouer, à cause des connotations désagréables auxquelles ils sont habituellement associés (mesquinerie, avarice, enfantillage). Quand avez-vous entendu dire pour la dernière fois «je suis jalouse» ou «je suis envieuse», surtout en présence des gens qu'on affectionne et qu'on respecte? Les femmes répugnent davantage à avouer ces sentiments — en particulier la jalousie — parce qu'ils sont étiquetés, à tort, comme des défauts féminins. Cette classification en fait automatiquement des sentiments mineurs et moins dignes d'attention. La jalousie et le ressentiment n'ont pas capté l'imagination populaire récemment au même degré que des sentiments plus forts comme la colère. Ils font moins souvent l'objet d'études sérieuses et surgissent rarement dans les conversations. Bref, la jalousie et le ressentiment, qu'on prête à tort aux faibles, sont passés de mode. La femme qui répète volontiers qu'elle est jalouse de la première épouse de son mari et révoltée de l'argent qu'il lui donne ne risque pas qu'on lui porte une grande sympathie ni qu'on lui tende la main.

Les sentiments de jalousie ne paraissent pas si terribles, à l'aube de la vie. Dans l'enfance, ils se manifestent généralement entre frères et sœurs. Un peu plus de 40% des femmes interrogées provenaient de familles comptant trois enfants ou plus. Plusieurs étaient aînées de familles et avaient éprouvé leurs premiers accès de jalousie avec la naissance des cadets. Soudain, elles étaient forcées de partager l'affection des parents. Ce type de jalousie répond à un instinct primaire, celui de la survie. Avec l'extension de la famille et l'accroissement de la concurrence, l'aîné est poussé à rivaliser avec les cadets pour obtenir l'attention de ses parents. «Dans l'enfance, écrit le docteur Karen Horney, auteur d'une étude sur la psychologie féminine, la revendication du monopole de l'affection du père ou de la mère se heurte à la frustration ou au désappointement, et il en résulte une réaction de haine ou de jalousie. Sous cette exigence (d'affection exclusive de l'être chéri) se cache donc une sorte de haine qui éclate souvent si elle est de nouveau déçue.»

Les acteurs peuvent changer mais la situation demeure la même pour la seconde épouse. Plutôt que de rivaliser avec ses frères et sœurs, elle peut devoir rivaliser avec les enfants de son mari, son ex-épouse, ou tous à la fois. «Lorsque nous voyons sur quelle base instinctuelle profonde repose la revendication du monopole, dit le docteur Horney, nous voyons aussi que si nous perdions cette justification idéale, nous en rechercherions une autre à tout prix. Quelquefois, l'une de ses composantes peut jouer un rôle dominant dans l'économie instinctuelle, ou tous ces facteurs que nous reconnaissons comme les forces motrices de la jalousie peuvent y contribuer. En fait, l'exigence de la monogamie peut être considérée comme une assurance contre les tourments de la jalousie.» La situation risque d'être particulièrement difficile pour la deuxième épouse qui, enfant unique, n'a jamais eu à partager l'affection de ses parents et se voit maintenant forcée de partager celle de son mari. «La jalousie normale est un signe que quelque chose ne va pas dans le ménage», dit le docteur Eugene Schœnfeld, psychologue de San Francisco. «Beaucoup croient qu'elle est instinctive et elle peut se révéler très utile.»

La seconde épouse s'expose à deux types de jalousie. Elle peut n'en éprouver qu'un, ou les deux à la fois, selon sa situation. Le premier type est la suspicion, la crainte d'une rivalité sexuelle ou amoureuse. La seconde épouse y est exposée plus que les autres parce que son mari a déjà eu (et quelquefois maintient) une relation amoureuse avec une autre femme. Le deuxième type est plus complexe parce que moins bien défini. Il découle de la somme d'affection, de crédit, d'approbation et d'attention qu'une tierce partie reçoit de son mari et qu'elle considère lui appartenir.

Beaucoup de secondes épouses soupçonnent que leur mari reste attaché à sa première épouse ou est physiquement attiré par elle. Leur crainte n'est pas toujours sans fondement, d'autant que souvent le mari l'entretient et alimente la jalousie. Sans doute est-ce satisfaisant de se savoir objet de jalousie. Beaucoup de gens tiennent la jalousie pour une preuve d'amour. La jalousie qui est source d'insécurité dans le ménage n'est cependant pas constructive. Les secondes épouses sont déjà si insécures qu'il n'est pas besoin d'en remettre.

L'autre forme de jalousie est souvent engendrée par certains aspects de la relation du mari avec sa première épouse qui n'ont rien à voir avec l'amour ou la sexualité. Elle tient à la façon dont il dépense son temps et/ou son argent, et elle implique généralement les enfants, qui sont souvent cause de jalousie chez la seconde épouse.

> *Les enfants de mon mari vivent avec leur mère, mais ils jouent tous deux au hockey et, à toute heure durant la saison, mon mari est appelé à les conduire aux exercices et aux matches, et à les ramener. Le calendrier des matches est ridicule. Il nous dérobe le peu de vie sociale que nous avons. Constamment! Il est si fatigué d'avoir à les transporter à travers la province que la qualité du temps dont nous disposons ensemble en souffre. Si c'était à refaire, je prendrais un mari sans enfants.*

Quoi qu'il en soit, la jalousie est une manifestation parfaitement normale de la crainte que nous éprouvons de perdre un être ou un objet qui nous est cher. Elle est fréquente chez les secondes épouses (chez les premières aussi), parce qu'elles sont forcées de partager le temps, l'affection et l'argent qu'elles croient leur être destinés, tout comme, dans leur enfance, elles devaient partager avec leurs frères et sœurs l'amour et l'affection de leurs parents. Les enfants s'accommodent d'ordinaire facilement de la rivalité de leurs frères et sœurs, mais les femmes, qu'elles soient premières ou secondes épouses, ne s'y font pas. La psychologue Judith Warwick, auteur de *Psychology of Women*, dit que les femmes tirent surtout leur identité du mariage et tiennent donc à ce qu'il réussisse. «Dans les premières années du mariage, écrit-elle, les femmes ne sont pas aussi sûres que le mari de la stabilité de la relation. Elles veulent que la relation réussisse, parce qu'elle est leur principale source d'amour-propre... Les femmes continuent de percevoir le monde en termes de relations personnelles et de personnaliser le monde objectif différemment des hommes. Nonobstant leurs succès professionnels, leur amour-propre n'est satisfait que si elles sont appréciées de ceux qu'elles aiment et respectent.»

Qu'on admette ou non que les femmes recherchent encore leur identité dans leurs relations affectives plutôt que dans leurs relations professionnelles, il reste vrai que les femmes comptent davantage que les hommes sur le mariage pour assurer leur épanouissement.

Aussi s'inquiètent-elles davantage du danger et des conséquences de la perte d'amour et d'affection de leur mari. C'est encore plus vrai pour la seconde épouse qui marie un homme dont l'aptitude au bonheur domestique est déjà discutable. Si une femme l'a perdu, pourquoi une autre ne le perdrait-elle pas? Surtout lorsque le mari a laissé sa première épouse pour marier la seconde, celle-ci ne peut s'empêcher de penser que, s'il a triché avec la première, il pourrait aussi tricher avec elle.

C'est pour toutes ces raisons que la seconde épouse est si encline à la jalousie, surtout durant les premières années du mariage, alors qu'elle apprend à connaître son mari. La jalousie peut entraîner la femme la plus saine à faire des bêtises pour conserver ce qui paraît lui échapper. Si vous êtes avertie des dangers de la jalousie, vous serez mieux en mesure de la contrôler plutôt que de vous laisser dominer par elle.

Le ressentiment est pareil à la jalousie, quoique moins imprégné de connotations amoureuses. Le ressentiment n'a pas d'objet aussi précis et découle plutôt de la situation générale. Ainsi, la seconde épouse n'est peut-être pas jalouse de la maison de la première dans le sens qu'elle n'y tient pas, mais elle peut s'offenser de ce qu'elle possède une maison tandis qu'elle et son mari, qui payent l'hypothèque, vivent dans un petit appartement. Le ressentiment provient d'un sentiment d'injustice.

La seconde épouse est plus vulnérable au ressentiment et à la jalousie parce qu'elle s'insère dans une situation de fait qu'elle n'a nullement contribué à créer et qui ne correspond peut-être pas à son sens de l'équité. Quels que soient les motifs qui l'inspirent — la pension alimentaire, une ex-épouse trop exigeante ou l'hostilité de la belle-famille —, la seconde épouse souvent n'échappe pas au ressentiment. Non seulement vit-elle dans un univers qu'elle n'a pas créé, mais elle est généralement impuissante à le modifier.

Le ressentiment, hélas, est un fardeau qu'elle devra porter seule. Le mari n'a pas bonne oreille dans ce cas. Ou bien il couve lui-même du ressentiment, ou bien, lorsqu'il apprend que sa femme se sent victime, il se sent coupable de lui avoir infligé la situation.

Le ressentiment est d'abord l'effet d'une circonstance (c'est-à-dire qu'il est engendré par des événements extérieurs à la personne) et il ne peut se dissiper que si la circonstance est modifiée. Dans certains cas, cela implique le divorce. Mais dans la plupart des cas, il suffit d'un ajustement du ménage de manière que les causes du mal se reproduisent moins souvent. Ainsi, si ce sont les enfants qui sont la cause du ressentiment, le remède logique est de les voir moins souvent. Si ce sont la famille ou les amis, il faut se soustraire à leur compagnie. En d'autres termes, il faut limiter vos contacts avec ce qui déclenche votre ressentiment. L'adage «loin des yeux, loin du cœur» convient souvent fort bien à la situation. Si vous portez votre attention ailleurs, vous verrez que vous en souffrirez moins. Vous ne pourrez vous concentrer sur les aspects positifs de votre mariage et éprouver en même temps du ressentiment.

Autres états affectifs

Si la colère, la jalousie et le ressentiment sont les émotions le plus souvent évoquées par les secondes épouses, ce sont loin d'être les seules. Elles en mentionnent beaucoup d'autres, qui vont, selon les circonstances, de la tracasserie à une grande tristesse.

Parlons d'abord des froissements, sentiments obscurs et tout à fait subjectifs puisque ce qui heurte l'une peut laisser l'autre indifférente. La blessure d'amour-propre est souvent l'antécédent de la colère chez les secondes épouses, comme chez les autres. Quand les attentes qu'elle avait du mariage sont frustrées, la seconde épouse commence à penser qu'on ne la traite pas comme la «vraie» femme. Lorsqu'elle découvre que son mari, l'homme qu'elle aime, est à l'origine de son malaise, elle est blessée.

> *Je sais que ça peut sembler ridicule et que ce n'est pas vraiment un GROS problème, en comparaison de ceux dont sont affligés d'autres gens, mais Nick a réussi à me blesser de mille et une façons depuis que nous sommes mariés. Je lui pardonne ses grosses fautes, mais j'ai beaucoup de mal à lui pardonner ses petites, de sorte qu'elles ne sont peut-être pas si petites après tout. Durant notre première année de mariage, je suppose que j'étais un peu trop sensible à l'époque, il a oublié mon anniversaire. Ce n'était pas une grosse faute et je n'ai rien dit, mais quand j'ai reçu une facture du fleuriste deux semaines plus tard et que j'ai vu qu'il était allé déposer des fleurs sur la tombe de son épouse à son anniversaire, ça m'a vraiment blessée. Je ne comprenais pas qu'il puisse se souvenir du sien et pas du mien.*

Ces petites tromperies amoureuses peuvent sembler insignifiantes aux autres, mais elles ne le sont pas pour nous et nous avons le droit de nous sentir blessées. La réaction de cette femme est typique. Elle reconnaît avoir été blessée par l'inattention de son mari, mais elle cherche quand même à le défendre. «Je sais que ça peut sembler ridicule...» et «ce n'était pas une grosse faute...» Une partie du problème vient de ce que les femmes ne sont pas sûres d'avoir le droit d'éprouver les sentiments qu'elles éprouvent.

Beaucoup de secondes épouses sont tiraillées entre l'amour et la haine. Elles aiment leur mari mais détestent la situation. Le dilemme peut se prolonger durant des années parce qu'elles craignent d'être encore plus malheureuses si elles partent. C'est une situation difficile, parce que, d'une façon ou de l'autre, la seconde épouse est perdante. Si elle part, elle perd son mari. Si elle reste, elle perd un peu d'elle-même.

> *J'ai laissé mon mari il y a un an et demi. Et, à ce moment-là, j'ai vu resurgir tous les sentiments, tous les mauvais sentiments que j'avais relégués au fond de ma pensée. Il était incapable de rompre le lien avec sa première épouse. Ils vont maintenant tenter de renouer. J'ai envie d'une relation adulte et j'aimerais me marier. Le temps passe, après tout.*

D'une façon ou de l'autre, la seconde épouse s'expose à un sentiment de tristesse et de perte, le même qu'elle éprouverait advenant la mort d'un être cher.

Le dernier sentiment dont je veux traiter est davantage un état affectif. Il ne porte pas de nom particulier et dérive d'un ensemble de circonstances. C'est le malaise qui nous envahit de temps à autre quand on est ignorée ou mise de côté. Plusieurs secondes épouses ne participent pas aussi pleinement à la vie de leur mari que si elles avaient été les premières. Dans les rencontres sociales et les événements familiaux comme Noël, les collations de grades et les noces, on leur fait souvent sentir que leur présence est déplacée. Parfois, ce sont les membres de la famille du mari qui le leur signifient délibérément, pour bien montrer qu'ils ne sont pas d'accord avec la nouvelle situation. Parfois, c'est que, en l'absence de règles précises d'étiquette gouvernant les situations qui réunissent la première et la seconde épouses, et même les enfants, les gens sont tout simplement mal à l'aise. Pour la seconde épouse, ces situations sont difficiles et même humiliantes, à moins qu'elle n'ait entièrement l'appui du mari. Souvent, pour éviter de faire des vagues, le mari permet qu'on ignore son épouse, la rendant encore plus mal à l'aise. La place de la seconde épouse devrait être bien définie dès le début du mariage, de manière à éviter les situations embarrassantes. Chaque couple réglera le problème à sa façon. Si le problème n'est pas réglé, il est évident qu'il deviendra une source d'irritation et de malaise pour les deux conjoints.

Le mari et la culpabilité

Toutes les secondes épouses ont à combattre des sentiments de culpabilité. Seulement quelques-unes des femmes échantillonnées ont reconnu en avoir, mais plusieurs ont dit que leur mari se sentait coupable de l'échec de son premier mariage.

> *Je sais que mon mari se sent coupable d'avoir laissé sa première épouse. Il l'appelle constamment pour savoir si elle est bien ou si elle a besoin de quelque chose. Il fait l'impossible pour satisfaire ses moindres désirs. Il lui donne même plus d'argent que le tribunal n'a ordonné. J'ai essayé de lui en toucher un mot, mais il me dit qu'il se sent encore responsable de son bien-être, et qu'après tout elle est seule.*

Le sort du divorcé n'est guère enviable, surtout s'il a le sens du devoir et des responsabilités. L'éthique chrétienne nous enseigne que, s'il est parfaitement légitime de rechercher son bonheur, on ne peut le faire aux dépens d'autrui. Quand un mariage se dissout, il est presque inévitable que l'un des conjoints retrouve tôt ou tard le bonheur, aux dépens de l'autre. Il faut bien que l'un des deux prenne l'initiative de partir pour rompre le mariage, et, quelle que soit la volonté de l'un et de l'autre d'en finir, il est presque assuré que celui ou celle qui aura pris l'initiative s'en sentira coupable. Et si ce conjoint se tient en outre responsable de l'échec de la relation, son sentiment de culpabilité n'en sera que plus aigu.

Qu'est-ce qui fait que les hommes sont si prompts à se sentir coupables? Alors que la seconde épouse refoule peut-être sa colère parce qu'elle croit devoir maintenir le bonheur du ménage en dépit de ses sentiments, son mari s'accable de culpabilité pour l'échec de son premier mariage. Par quelque loi tacite, les femmes sont responsables du bonheur quotidien, et les hommes le sont du succès ou de l'échec ultime de la relation. Beaucoup d'hommes se perçoivent encore comme le protecteur, le gagne-pain et le chef de la famille. Lorsque les choses vont mal, c'est d'abord à eux qu'ils s'en prennent. Si le mariage échoue, c'est qu'ils n'ont pas fait leur devoir. Dans ce cas, il leur faut en subir le châtiment, et la culpabilité est souvent l'instrument du châtiment.

Quelle que soit la cause de la rupture, l'homme finit par en porter la responsabilité parce qu'il a perdu la maîtrise de la situation. S'il est parti de la maison, il se sent coupable du mal qu'il a causé à la femme qu'il a déjà aimée. S'il est abandonné par son épouse, il cherche en lui la faiblesse qui l'a fait partir de la maison. S'il est père de famille, l'idée d'être père à distance, d'abdiquer ses responsabilités, et peut-être, de traumatiser ses enfants pour le restant de leurs jours ne fait qu'ajouter au poids de sa culpabilité.

Même si on a créé, sur le plan juridique, le concept du divorce sans torts, on cherche toujours, sur le plan moral, à attribuer des torts. Souvent, le mari assume la culpabilité, en partie parce qu'il est celui que le tribunal punit financièrement dans une procédure de divorce. Il peut consentir à un règlement qui le désavantage lourdement au profit de son ex-épouse pour se soulager de sa culpabilité et, par ce sacrifice, expier publiquement sa faute. Malheureusement, l'abnégation n'affecte pas toujours uniquement celui qui se sent coupable. Elle touche aussi ceux qui sont près de lui. Ainsi, beaucoup de maris consentent allègrement à une pension alimentaire au-dessus de leurs moyens et sacrifient leur maison, leur voiture, leur bateau et même leur entreprise, sans penser qu'ils puniront aussi financièrement leur seconde épouse et leur nouvelle famille.

La société concourt aussi à punir le coupable en créant toutes sortes de situations légales et sociales qui renforcent la négation du mari. Qu'il soit ou non responsable de la rupture, le mari est censé quitter sa maison, ses amis, son système de support social et le confort matériel auquel il est habitué. Par cet isolement, la société identifie un coupable et impose son châtiment. À défaut de ces sanctions sociales, l'institution du mariage serait chose du passé et les gens passeraient librement d'une relation à l'autre. Puisque le mariage est le fondement économique et social de notre culture, il importe de le préserver. Les charges financières qu'impose le tribunal au moment du divorce empêchent les conjoints de se marier et de divorcer trop souvent, sous peine de s'exposer à la ruine.

La seconde épouse n'est pas toujours consciente de la culpabilité lorsqu'elle se marie. Elle peut tenter d'en déceler les symptômes chez son mari, mais les hommes ne l'affichent pas tous. Bien des maris préfèrent souffrir et expier en silence. C'est du moins ce qu'ils pensent faire. Mais, comme toutes les émotions refoulées, la culpabilité trouve moyen de revenir à la surface au moment le plus inattendu.

J'étais persuadée que mon mari avait une liaison. Il me disait qu'il devait travailler tard, mais, si j'appelais au bureau, il n'y était pas. Ou encore il partait «faire une course» les week-ends et rentrait deux ou trois heures plus tard. J'étais blessée. Nous venions à peine de nous marier et je ne comprenais pas qu'il veuille soudain voir une autre femme après tout ce que nous avions dû subir pour être ensemble. C'est par pur hasard que j'ai découvert que ses petits rendez-vous secrets étaient avec son ex-épouse. Rien ne se passait entre eux. Il allait chez elle pour faire des petits travaux de plomberie ou poser les fenêtres d'hiver, choses qu'il avait toujours faites à la maison et qu'il pensait devoir continuer à faire parce qu'elle dépendait entièrement de lui. Il ne me le disait pas pour ne pas me mettre en colère. J'étais doublement furieuse. D'abord parce qu'il faisait ces choses-là, et ensuite parce qu'il les faisait sans le dire, me laissant craindre le pire.

La seconde épouse peut s'attendre à faire face à trois manifestations différentes de culpabilité: la culpabilité ouverte (le mari offre des cadeaux ou paie une pension plus élevée que celle qu'on lui réclame), la culpabilité secrète (le mari fait toutes ces choses mais sans en parler à sa seconde épouse) et la culpabilité partagée. Dans ce dernier cas, le mari parvient, de diverses façons, à transférer une partie du poids sur les épaules de la seconde épouse. Il lui est ainsi plus facile de le porter, mais il se trouve à partager en même temps le châtiment. Les gens qui partagent leur culpabilité le justifient souvent en disant: «Si je n'étais pas tombé en amour avec elle, je serais encore avec ma première épouse et je ne me sentirais pas coupable. Puisqu'elle m'a fait tomber en amour, elle est en partie responsable de mon sentiment de culpabilité et devrait le partager.»

Je ne me sentais pas coupable d'avoir brisé le mariage de mon mari. Lorsque nous nous fréquentions, il ne cessait de me répéter qu'il n'éprouvait plus aucun sentiment pour elle et que leur liaison était terminée. Je sais qu'il la trompait depuis le début de leur mariage et qu'il se soûlait et la battait quelquefois. Maintenant, chaque fois que nous nous querellons, il n'oublie jamais de me rappeler que, sans moi, il serait encore avec elle et ses enfants. Il dit que c'est ma faute s'il l'a laissée et s'il ne peut plus voir ses enfants.

La culpabilité partagée est souvent la pire, parce qu'elle est extrêmement malsaine pour la relation des conjoints et terriblement injuste pour la deuxième épouse. Bien des secondes épouses ne sont pas conscientes de partager la culpabilité de leur mari, parce que celle-ci ne s'exprime pas franchement. En général, le mari ne dit pas: «Chérie, aide-moi à partager ma culpabilité», mais: «Chérie, je n'y arriverai pas avec mon salaire. Nous allons devoir travailler tous les deux pour régler la pension alimentaire. Tu sais qu'elle est forcée de rester à la maison pour s'occuper des enfants et ne peut pas travailler pour l'instant», ou encore: «Chérie, on ne peut pas s'offrir de vacances cette année, parce qu'il me faut défrayer le camp d'été des enfants. Je sais que ça ne fait pas partie du règlement du divorce, mais je ne peux souffrir de voir les enfants renfermés tout l'été, après ce qu'ils ont subi.»

Peu de deuxièmes épouses contestent la logique de tels arguments, car, au fond d'elles-mêmes, subsiste toujours ce petit doute que, si ce n'eût été d'elles, le mari aurait renoué avec sa première épouse. L'idée qu'un enfant puisse souffrir parce qu'elles veulent satisfaire leur caprice est aussi un puissant argument.

Tout cela peut paraître lugubre mais fait partie du jeu auquel les couples se livrent constamment. Les secondes épouses, cependant, sont forcées de jouer le jeu autrement et selon d'autres règles. Ce genre de manipulation n'est pas toujours conscient, mais le résultat est le même. L'une des toutes premières choses dont la deuxième épouse devrait s'assurer, c'est du degré de culpabilité qu'éprouve son mari à propos de son premier mariage, et de quelle manière il entend s'en soulager. Il est normal qu'il en éprouve un peu, mais, s'il vous semble que vous risquez d'en être la victime, vous devriez suivre le conseil de cette deuxième épouse, avant de vous marier.

> *Avant de consentir à me marier, j'ai insisté pour que mon mari retourne chez sa première épouse s'il croyait à la possibilité de ressusciter leur amour. Je ne voulais pas que notre mariage soit miné par la culpabilité qu'il éprouverait à propos de son premier mariage. Je lui ai donné toutes les chances de se réconcilier avec elle. Lorsque j'ai eu la certitude qu'il ne le voulait pas, qu'il n'en aurait jamais de remords et qu'il ne reviendrait jamais sur le sujet, j'ai consenti à me marier.*

CHAPITRE 8

La seconde épouse et la débrouille

«La conception nord-américaine du mariage fournit l'un des exemples les plus frappants de notre obstination à atteler notre char à une étoile. C'est l'une des formes d'union les plus difficiles que le genre humain ait imaginées.»

Margaret Mead

La façon dont les femmes en général, et les secondes épouses en particulier, surmontent les tensions du mariage n'a pas fait l'objet de beaucoup d'attention jusqu'ici, et certainement pas de la part du corps médical. Les femmes étaient censées tirer une bonne part de leur bonheur, sinon de leur identité, du fait même d'être mariées. Il était donc inconcevable que le mariage, quel que soit le partenaire, puisse être source de détresse. Au contraire, celle dont il fallait se préoccuper, c'était la malheureuse qui touchait la trentaine sans avoir trouvé mari. Après tout, que pouvait-il y avoir de pire que d'être vieille fille?

Trop souvent, les femmes ont été leurs pires ennemies. Elles sont encore nombreuses à penser que, pour être mentalement saines, socialement acceptables et personnellement satisfaites, elles doivent se marier. Et que, pour réussir en mariage, elles doivent être féminines, maternelles, soumises, complaisantes, sensibles, et éviter de se montrer autoritaires, agressives, spontanées, égoïstes ou violentes.

Les temps et les mœurs changent, évidemment, et les femmes commencent à se rendre compte que leur rôle d'épouse, de mère et de servante les expose à toutes sortes de tensions et de frustrations. Si cela vaut pour les femmes en général, cela vaut encore plus pour les secondes épouses. En plus des problèmes qui affectent l'institution même du mariage dans les années 80, les secondes épouses ont leurs problèmes propres.

Il faut reconnaître que la vieille maxime féminine selon laquelle le bonheur se gagne dans la dépendance et le renoncement est pour une bonne part une invention de notre société patriarcale. Plusieurs des difficultés rencontrées par les deuxièmes épouses tiennent à cette attitude. Cette vieille mentalité empêche aussi les femmes qui veulent s'ouvrir de leurs problèmes à quelqu'un (au médecin, au prêtre, à l'avocat, etc.) de trouver une oreille attentive. Cette lettre adressée à Ann Landers en témoigne. Elle provient d'une femme mariée en deuxièmes noces à un père de trois enfants.

> *Au moment du mariage, j'ai établi clairement que je ne me soumettrais pas au règlement du divorce nous obligeant à recevoir les enfants toutes les deux fins de semaine. Je n'ai pas d'enfant et je n'en veux pas... Depuis mon adolescence, je n'ai jamais aimé les enfants. Ce n'est que récemment que j'ai eu le courage de le faire savoir. Le résultat? Les enfants me tombent sur les bras le week-end, ou pour une heure qui se prolonge quelquefois jusqu'au lendemain. Maintenant que j'ai décidé d'être franche et brutale au besoin, la belle-mère me tombe dessus. Mon médecin dit que je ne suis pas faite pour être mère et que ce n'est pas la peine d'essayer. Comment puis-je le faire comprendre à la famille de mon mari?*

Ann Landers répondit comme suit:

> *Au ton de votre lettre, je m'explique mal que vous ayez de la difficulté à vous faire comprendre. Pourquoi avez-vous marié un homme qui était tenu de recevoir ses enfants toutes les deux fins de semaine alors que vous n'aimez pas les enfants? Vous vous êtes embarquée dans ce pétrin en toute connaissance de cause. Je regrette de ne pouvoir vous encourager mais je ne vois que des difficultés à l'horizon.*

Hélas! la réponse expose le problème, mais ne fait rien pour le régler. La correspondante, qui semble avoir longtemps refoulé ses sentiments avant d'éclater, trouve le même réconfort qu'elle a trouvé chez sa belle-mère et son médecin. Plutôt que de reconnaître que la situation puisse vraiment être intenable pour la deuxième épouse et, donc, qu'elle fait face à un problème digne de sympathie et d'attention, Mme Landers lui renvoie la balle et l'accable de reproches. Les gens présument souvent que les secondes épouses savaient dans quoi elles s'embarquaient et n'ont qu'elles à blâmer pour leurs problèmes. La plupart des secondes épouses n'en ont pourtant aucune idée, et plusieurs vous diront que personne n'en peut rien savoir avant d'être passé par là. Une psychologue, dont le mari était psychiatre (tous deux traitaient presque exclusivement les belles-familles), dit qu'elle et son mari croyaient pouvoir traverser les tensions du remariage sans difficulté puisque toute leur expérience professionnelle avait porté là-dessus. Ils découvrirent après le mariage combien la situation était difficile. «Si nous, qui étions professionnels dans le domaine, éprouvions de la difficulté à venir à bout de la situation et nous heurtions à quantité de problèmes que nous n'avions pas prévus, dit-elle, comment peut-on penser qu'un couple ordinaire s'en tirera sans mal?» Peut-être Ann Landers aurait-elle dû répondre ce qui suit à sa correspondante: «Si vous vous êtes mariée avec entente que vous ne participeriez pas à la garde bimensuelle des enfants de votre mari et que celui-ci y a consenti, alors ces jours-là (et seulement ces jours-là) vous devriez laisser les enfants lui rendre visite et faire autre chose. Si l'entente que vous aviez faite avec votre mari ne vous obligeait pas à assumer également la garde des enfants, ne le faites pas et ne vous laissez pas culpabiliser à ce propos. Vous avez tout autant le droit de ne pas aimer ses enfants qu'ils ont le droit de ne pas vous aimer.»

Les sentiments que les secondes épouses refoulent sont habituellement ceux que la société interdit aux femmes d'entretenir sous prétexte qu'ils ne sont pas féminins. Dans l'ensemble, on n'admet toujours pas qu'une femme avoue sa colère, n'aime pas les enfants de son mari ou s'offense de la pension que son mari verse à sa première famille. On réprouve ces sentiments parce qu'ils ne sont pas conformes au rôle d'abnégation qu'on impute à la femme. Bien des secondes épouses se sentent si coupables d'éprouver de tels sentiments qu'elles ne se résignent pas à en parler franchement. Et, si elles en parlent, souvent on n'hésite pas à les mal juger et à leur reprocher leur mesquinerie.

Comment tiennent-elles le coup, alors? Les sentiments et les situations ne disparaissent pas parce qu'on les ignore, et les femmes, surtout les deuxièmes épouses, emploient toutes sortes de moyens pour en venir à bout.

Dans les pages qui suivent, nous verrons les plus communs. Il convient de noter que tous les moyens ne sont pas bons et peuvent même être franchement mauvais. Certains proviennent d'une réaction inconsciente à une situation donnée, et la femme y a souvent recours sans s'en rendre compte.

La projection

Les secondes épouses qui se sentent vulnérables font assez souvent de la projection. La projection, nous informe le dictionnaire, est un mécanisme de défense par lequel le sujet attribue à autrui des états affectifs qui lui sont propres. Voyons le cas de Pat, comptable de vingt-neuf ans, mariée depuis trois ans à John. Celui-ci est un homme d'affaires prospère, âgé de quarante-huit ans. Il est libéré depuis cinq ans d'un mariage qui en a duré vingt. Il a deux enfants, âgés respectivement de vingt et un et de vingt-quatre ans.

> *Lorsque j'ai rencontré John, je savais qu'il était divorcé et qu'il avait des enfants. Je savais aussi qu'ils étaient presque adultes et je n'entrevoyais pas de problèmes avec eux. Je ne les ai rencontrés qu'après notre mariage, et j'ai cru comprendre, par des choses que John m'a dites et par le fait qu'ils ne soient pas venus à nos noces, qu'ils ne m'acceptaient pas. Notre première rencontre fut un désastre. Ils se sont montrés hostiles et grossiers. De toute évidence, leur mère leur avait parlé de moi et ils avaient prêté l'oreille. Par la suite, je me sentais fort mal à l'aise avec eux et j'ai finalement dit à mon mari que je ne voulais plus les revoir chez nous. J'ai été très dure envers John. Je me rends compte aujourd'hui que je craignais qu'ils me détestent et que je les rejetais plus qu'ils ne me rejetaient. J'étais inquiète de la place que j'occupais alors dans la vie de John, et la moindre résistance de leur part me rendait folle. J'étais persuadée qu'ils me détestaient, tandis que c'est moi qui ne les aimais pas parce que je craignais qu'ils me rejettent et poussent leur père à me rejeter.*

Pat est l'une des rares femmes à qui j'ai parlé qui avait appris à composer avec son attitude. Elle s'était rendu compte qu'elle projetait ses propres sentiments d'insécurité et sa peur de rejet sur les enfants de John, qui, en réalité, étaient indifférents à son égard. Ce faisant, elle avait créé une situation intenable (celle-là même qu'elle appréhendait si elle avait été rejetée par les enfants) entre elle et son mari, et entre elle et les enfants.

La peur du rejet est fréquente chez la deuxième épouse. Car elle s'immisce dans une situation toute faite (amis, famille et enfants), et l'angoisse qu'elle éprouve à la pensée d'être rejetée peut aisément la pousser à projeter des sentiments négatifs sur ceux qui l'entourent. Les secondes épouses devraient toutes être averties de cette possibilité. Projeter ses sentiments sur autrui ne peut qu'aggraver la situation. Il n'est pas mauvais d'être réservée et prudente devant les amis et la famille au début, mais l'excès de prudence et de méfiance ne peut, à la longue, qu'empoisonner la relation avec le mari.

L'hypocondrie

L'hypocondrie est la mieux connue des réactions inconscientes à l'angoisse. Le dictionnaire la définit comme un état d'anxiété excessive qui pousse d'abord le sujet à se déprécier, puis à s'inquiéter de sa santé. Plutôt que de réclamer de son entourage ce qu'elle désire, la femme se plaint d'affections physiques.

La nature même de l'hypocondrie évoque la réponse sociale des femmes au stress. Elle symbolise leur acceptation d'un rôle de dépendance, leur tendance à l'introversion et à la manipulation du milieu extérieur, plutôt que de faire face au problème. Dans le passé surtout, l'hypocondrie était l'un des rares moyens qu'avaient les femmes de reprendre le dessus. Elles y avaient recours principalement dans leurs rapports avec les hommes. Le mécanisme leur permettait à la fois de surmonter leurs angoisses et de centrer plaisamment l'attention sur elles.

Hélas! Le souvenir de ce genre de manipulation féminine persiste encore. L'identité féminine, dans l'esprit de la société, comporte toujours une certaine dose de fragilité. Faut-il s'étonner, par conséquent, que les femmes continuent d'invoquer la maladie pour contenir et exprimer des sentiments qu'on juge inacceptables? Après tout, la maladie suscite en général l'attention, l'intérêt et la sympathie. Elle dispense aussi de l'obligation de régler le problème immédiatement. En voici des exemples.

Martha, ménagère de quarante-cinq ans, est mariée depuis huit ans à Gérard, ingénieur professionnel ayant à peu près le même âge qu'elle. Tous deux avaient été mariés auparavant, elle pendant cinq ans et lui pendant dix ans. Martha est en apparence robuste et en santé, mais elle se plaint de toutes sortes de petits malaises qui varient d'une fois à l'autre. Elle passe beaucoup de temps chez le médecin et elle est persuadée qu'elle est malade.

Je ne sais pas ce que j'ai, mais il me semble que j'attrape tout ce qui passe. Je ne me sens jamais bien, même quand je ne suis pas malade. L'an dernier, je me suis levée, un matin, couverte d'urticaire. Je n'en avais jamais fait auparavant. Après, j'ai eu mal au dos et j'ai été alitée pendant quelques semaines. Il y a toujours quelque chose.

Une conversation plus poussée avec Martha révèle que ces affections ou ces allergies sont d'ordinaire déclenchées par quelque problème domestique. L'urticaire, par exemple, est apparue peu après que Gérald eut assisté aux noces de sa fille en compagnie de son ex-épouse à l'extérieur de la ville. Les maux de dos se sont déclarés à un moment où Martha trouvait que son mari passait trop de temps avec ses fils. Il est évident, d'autre part, que Martha se croit en concurrence avec la première épouse de Gérald. Elle est persuadée qu'elle «perdra» son mari, tout comme sa première épouse l'a perdu, si elle n'est pas une épouse modèle. Elle s'efforce donc d'être parfaite, mais elle essaie aussi de manipuler Gérald en se plaçant sous sa dépendance par ses maladies. Comment pourrait-il abandonner une femme malade? S'il doit s'inquiéter d'elle, combien de temps passera-t-il à penser à sa première famille?

Un cas semblable nous est fourni par Janice, directrice des ventes âgée de trente-deux ans, et son mari Alan, vendeur âgé de trente-cinq ans. Au cours d'une entrevue, Janice avoue réprimer beaucoup d'hostilité. Elle est la seconde épouse d'Alan et elle estime avoir subi des injustices qu'elle a du mal à accepter. Indirectement, elle tient son mari responsable de ses angoisses. Elle dit qu'elle l'adore mais qu'elle ne souffrirait pas toutes ces angoisses s'il n'était pas intervenu dans sa vie. Il est à la fois son soutien et la cause de son bouleversement.

Je ne comprend pas. Je sais qu'Alan m'aime, mais il ne m'aime pas assez pour que je sois la première dans sa vie. Je passe après ses enfants, et sa première épouse est toujours en train de réclamer ceci et cela. Et il est d'accord avec tout. Je suis si furieuse. Je n'arrive pas à m'y faire. Et pourquoi le devrais-je? Je voudrais un mari qui m'appartienne tout entier, une vie de couple qui ne soit pas troublée par toutes ces intrusions. Je l'aime vraiment. Pourquoi ne se rend-il pas compte que la situation m'est intolérable? Parfois, je me demande s'il m'aime assez pour voir que ça me dérange. Peut-être pense-t-il qu'il peut tout avoir: moi, elle et les enfants, une belle grande famille.

Janice est enfermée dans un dilemme. L'être qu'elle aime le plus et de qui elle tire le plus de satisfaction est en même temps la cause, à ses yeux du moins, de son malheur. Voilà certes une situation difficile, et, comme la plupart des femmes, Janice est incapable de faire part directement à Alan de sa colère. Elle en redoute les conséquences et elle n'est pas certaine que cela arrangerait les choses. «S'il m'aimait réellement, pense-t-elle, il saurait que ça ne va pas.»

Ces tiraillements ont provoqué chez Janice une variété de réactions hypocondriaques. Elle aussi est malade, mais, au contraire de Martha, dont la maladie ne gêne pas sa recherche de perfection, son affection l'empêche de vaquer à ses tâches quotidiennes. Elle est souvent trop malade pour préparer le dîner ou faire le ménage. Elle n'est pas assez bien pour faire l'amour. Ses malaises sont, en fait, un réquisitoire. Indirectement, elle fait savoir à Alan qu'elle est furieuse. Alan ne le comprend pas, évidemment. Il pense simplement qu'elle est fragile. Et le problème persiste.

La réaction adverse

La réaction adverse se caractérise par un comportement diamétralement opposé à celui que commande l'instinct. Elle conduit, par exemple, à porter une attention excessive à quelqu'un d'autre tandis qu'on voudrait être soi-même l'objet d'attention, ou à exprimer une émotion contraire à ses véritables sentiments.

Jane offre un bon exemple de ce mécanisme de défense. Jane a vingt-cinq ans, et son mari, Phil, en a trente-quatre. Ils sont mariés depuis deux ans et n'ont pas d'enfants. Phil a un petit garçon de son mariage antérieur avec Karen.

> *Quand j'ai marié Phil, j'étais mal à l'aise à cause de sa relation avec Karen. Elle tenait encore une grande place dans sa vie. Ils se voyaient souvent et avaient beaucoup d'intérêts financiers en commun. Pis encore, il l'aimait toujours et se plaisait en sa compagnie. Je suppose que j'étais jalouse. J'aurais préféré qu'elle soit insupportable et qu'il en vienne à la détester. Ils étaient tous deux si complaisants à propos de leur divorce et de son mariage avec moi. Je n'avais pas prévu cela et je n'y comprenais rien. Il l'a même invitée à dîner à la maison en compagnie de son nouvel ami le soir de notre premier anniversaire de mariage. Je suppose que je m'y serais faite à la longue. Elle n'était pas le genre de femme que j'aurais fréquentée dans d'autres circonstances. Malgré mes sentiments, je suis devenue*

très amie avec elle, même si, au fond de moi, j'aurais souhaité qu'elle disparaisse. Phil trouvait ça merveilleux. Nous sommes même allés à ses noces. Je n'en finissais plus de sourire et de me montrer gentille. Et, tout le temps, je me demandais ce qui m'arrivait. Je ne pouvais vraiment pas supporter cette femme, et voilà que je me comportais comme sa meilleure amie. Je finis par me dégoûter et me demander pourquoi j'agissais de la sorte. Évidemment, c'était en partie pour plaire à Phil, mais aussi parce que je brûlais de lui dire ses quatre vérités et que je n'arrivais pas à m'y résigner. Ou bien j'avais peur de ce que dirait Phil, ou bien j'avais peur des sentiments que j'éprouvais. Je n'avais jamais vraiment détesté personne auparavant. C'étaient des sentiments qui m'étaient étrangers et je ne savais pas comment en venir à bout. Je pense que j'ai vraiment fini par la détester. C'est terrible à avouer, mais c'est vrai.

Incapable de dominer ses mauvais sentiments envers l'ex-épouse de Phil, Jane les convertit en une fausse amitié. Elle finit par comprendre ce qui se passait et régla le problème (elle a dit à Phil ce qu'elle ressentait et ne voit plus Karen), mais sa première réaction ressemblait à celle de beaucoup de femmes. Jane était conditionnée depuis toujours à ne pas éprouver de haine et elle se trouva déconcertée lorsque surgirent de tels sentiments.

Ruth fournit un autre exemple de ce genre de réaction. Elle a trente et un ans, et son mari, Bob, en a cinquante et un. Ils sont maintenant en instance de divorce.

Je savais, lorsqu'il a demandé ma main, qu'il était en partie inspiré par le désir de vivre avec une femme qui avait vingt ans de moins que lui et qu'il pensait pouvoir satisfaire sexuellement. Je n'avais jamais été mariée auparavant et j'ai accepté de me marier parce que je l'aimais, ou du moins le pensais-je. Je ne suis pas très sensuelle, mais je savais que c'était important pour lui, et je me suis efforcée de paraître très séduisante et très sensuelle avec lui. Je me trouvais ridicule, mais je faisais tout ce qu'il voulait en prétendant que ça me plaisait. Je mentais en lui disant qu'il était bon amant (il ne l'était pas). Ma mère avait bien raison de dire que, lorsqu'on est deuxième, il faut faire davantage. Je me disais aussi que s'il croyait que j'aimais faire l'amour autant que lui, il ne couraillerait pas comme il l'avait fait durant son premier mariage. Je me trompais.

Voilà un nouvel exemple d'une deuxième épouse affichant un comportement contraire à son instinct. Sachant pourquoi son mari était insatisfait de son premier mariage, Ruth pensa sauver le sien en se montrant différente de ce qu'elle était. Elle l'a fait consciemment, mais elle n'aurait probablement pas pu maintenir ce comportement bien longtemps. Si le mariage avait duré, elle serait revenue tôt ou tard à son comportement normal et elle aurait eu à faire face à une situation encore plus complexe. Les secondes épouses ne sont pas seules à avoir ce comportement. Elles tombent cependant dans un piège additionnel. Parce qu'elles sont au courant du premier mariage de leur conjoint, elles tendent à prévenir les désirs de leur mari plutôt qu'à les laisser s'exprimer naturellement. Ce n'est pas sage.

La suppression

La suppression consiste à ignorer temporairement une impulsion ou un conflit. Elle conduit à minimiser le malaise, c'est-à-dire à voir le beau côté des choses ou à garder bonne contenance, et à différer le problème, sans cependant l'éviter. L'exemple sans doute le plus fameux de ce genre de comportement est la réaction de Scarlett O'Hara au départ définitif de Rhett Butler dans *Autant en emporte le vent*. «Je penserai à cela demain», dit-elle.

La suppression n'est pas la négation de l'existence du problème, mais simplement le report de sa solution. On ne veut pas éviter l'affrontement, mais regrouper ses forces avant l'affrontement. Voyons les deux exemples qui suivent. Louise, ménagère de quarante-deux ans, est mariée à Jerry, camionneur environ du même âge. Ils n'ont pas d'enfant et ils sont mariés depuis quatre ans.

> *Avant le mariage, mon mari a essayé de vendre la maison dans laquelle il vivait avec sa première épouse (qui l'a quitté). Je ne voulais pas vivre dans cette maison parce que j'estimais que ce serait toujours la sienne et pas la mienne. L'idée d'y vivre me rendait très mal à l'aise, mais le marché immobilier était alors à la baisse et nous n'avons pas réussi à vendre la maison. Après le mariage, je suis donc allée y vivre. Je suis toujours mal à l'aise à l'idée de coucher dans la chambre où ils couchaient, mais c'est une belle maison, et bien située. Au moins, nous ne sommes pas forcés de vivre dans un appartement. Un jour, j'aimerais avoir une maison bien à moi, mais Jerry est fort heureux de vivre ici.*

Brenda, qui a trente et un ans, est mariée depuis trois ans à Dave, qui en a quarante-deux. Dave est bien connu dans la ville où ils habitent, de même que l'était sa première épouse. Brenda s'y est établie peu avant de rencontrer Dave.

Chaque fois que nous sortons, mon mari et moi, nous rencontrons des gens qui l'ont connu lorsqu'il était avec sa première épouse. Je ne m'en faisais pas trop au début sauf qu'il avait tendance à oublier de me présenter et que je restais là plantée comme une dinde. Je suis sûre que la plupart des gens ne savaient pas que j'étais son épouse. Ils pensaient sans doute que j'étais sa maîtresse ou une fille qu'il venait de draguer. Cela me blessait vraiment. Un jour qu'il était en train de parler à un couple, l'homme le regarda tout à coup droit dans les yeux, puis me dévisagea, et il lui demanda comment allait son épouse. J'aurais voulu mourir. J'ai tenté d'en parler à mon mari, mais il m'a dit que j'étais trop sensible. Je lui ai dit qu'il était inconscient et grossier. Maintenant, lorsque cela se produit, je m'éloigne dès qu'il se met à causer et je reviens lorsque la conversation est terminée. Je sais que ce n'est pas une solution, mais ça marche pour l'instant. Au moins, nous ne nous querellons plus à ce sujet. Cela m'enrage encore parfois quand j'y pense, mais je me tais et j'essaie de ne pas y penser.

Brenda et Louise fournissent toutes deux des exemples parfaits de suppression. Elles vivent des situations qui sont inconfortables (à l'instar de bien des secondes épouses), elles savent ce qui les gêne, mais elles ne font pas grand-chose pour régler le problème. Louise, en particulier, voit «le beau côté des choses» et se dit qu'au moins ils ne sont pas forcés de vivre dans un appartement. C'est en général ce qu'on enseigne aux femmes: «Tirer le meilleur parti d'une mauvaise situation.» Les secondes épouses, manifestement, ne font pas exception.

Le comportement passif/agressif

Le comportement passif/agressif est l'expression indirecte d'agressivité par la passivité ou par son détournement contre soi. C'est un autre mécanisme de défense qu'on considère comme typiquement féminin. La vieille notion de «sexe faible», liée surtout à un certain degré de dépendance économique, pousse souvent la femme à diriger son agressivité contre elle-même plutôt que contre celui qui en est la cause.

Si la suppression est une façon de «voir le beau côté des choses», le comportement passif/agressif va un peu plus loin. Il consiste à accepter l'état actuel des choses sans tenter de le maquiller, comme en témoigne le cas de Joyce, secrétaire à temps partiel âgée de trente-huit ans. Joyce et Harold vivent ensemble depuis quatre ans. Ils ne sont pas mariés, même si elle le souhaiterait, mais c'est tout comme. Bien qu'elle travaille à temps partiel, Joyce dépend véritablement de Harold et il en est ainsi depuis qu'ils vivent ensemble.

Harold dit que ça l'embarrasserait de se marier, parce que ses deux enfants sont sur le point de se marier et que ça ne semblerait pas correct. Je pense que c'est une bien piètre excuse. J'ai plutôt l'impression que c'est parce qu'il a tout ce qu'il veut et comme il le veut, alors pourquoi en changer pour me faire plaisir?

L'attitude de Harold irrite et offense Joyce. Elle dissimule sa colère sous un humour sarcastique et se décrit souvent aux autres comme «la femme de ménage, la boniche et la poule» de Harold. Lorsqu'on lui parle, on a l'impression qu'elle éprouve un malin plaisir à se déprécier. En dénigrant sa situation de concubine devant les autres, elle détourne sur elle-même la colère qu'elle ressent contre Harold. Ainsi, elle se punit plutôt que de punir Harold.

C'est un comportement plutôt malsain qui risque d'aggraver la situation en renforçant la blessure d'amour-propre dont Joyce souffre déjà. Pire encore, Joyce se diminue aux yeux de Harold. Plutôt que de se rapprocher de son objectif qui est le mariage, il est fort possible qu'elle s'en éloigne.

Le déplacement affectif

La femme, dans ce cas, se défoule contre une personne ou un objet qui lui sont moins chers que celui qui cause son ressentiment. Beaucoup de femmes, par exemple, dirigent contre leurs enfants ou même leurs camarades de travail l'hostilité qu'elles éprouvent pour leur mari.

Il n'est pas facile pour une femme d'exprimer son ressentiment à son mari, même s'il en est la cause, parce qu'il peut être en même temps son soutien émotif et financier. Beaucoup de femmes, en outre, n'admettent pas qu'elles puissent éprouver des émotions contradictoires envers la même personne. Il leur est plus facile de diriger leur colère contre quelqu'un ou quelque chose d'autre qui ne ripostera pas et qui, par conséquent, n'accroîtra pas leurs tensions. Quoique moins autodestructeur que les précédents, ce mécanisme n'est pas non plus d'un grand secours.

Comme les autres, il évite d'aborder le problème de front. Au mieux, est-ce une façon temporaire de maintenir la stabilité dans le ménage. Il permet aussi à la femme de cacher ses véritables sentiments, qui, pense-t-elle, pourraient lui aliéner l'affection de son mari.

La sublimation

La sublimation est la transformation de pulsions inacceptables en valeurs socialement reconnues, sans perte appréciable de satisfaction. L'exemple le plus fréquent de ce comportement, dans notre société, est la dérivation d'instincts agressifs vers les sports de compétition. Contrairement aux autres mécanismes, la sublimation permet de canaliser ses instincts défensifs vers une activité spécifique plutôt que de les endiguer ou de les détourner.

La sublimation est la façon la plus manifeste de faire face à la situation. Le sujet reconnaît ses pulsions, les modifie légèrement et les applique à un but ou à une personne qui ont relativement peu de signification, de manière à en retirer une certaine satisfaction. Le déplacement affectif implique aussi la reconnaissance des pulsions, mais leur défoulement ne procure aucune satisfaction. Un bon exemple de sublimation est celui de la femme en colère contre son mari et qui passe sa journée à nettoyer la maison du haut en bas. En même temps qu'elle dissipe sa colère, elle a la satisfaction de voir sa maison propre.

Chez les secondes épouses, on conçoit aisément la femme «modèle», qui emploie toutes ses énergies à rendre son mari heureux dans tous les sens du terme. C'est la femme parfaite, résolue à se montrer supérieure à la première. Elle s'inquiète tellement d'être moins bien perçue que la première épouse qu'elle en arrive à être plus compétente qu'elle ne l'aurait été autrement.

S'il lui dit que sa première épouse portait toujours des chemises de nuit de flanelle, elle s'arrangera pour porter des chemises de Frederick de Hollywood. Si sa première épouse faisait bien la cuisine, elle suivra des cours de fine cuisine. Elle transposera ainsi les angoisses que suscite la comparaison avec la première épouse de son mari jusqu'à se montrer meilleure dans tous les domaines qu'il juge importants. Dans le chapitre intitulé «La seconde épouse et la sexualité», vous verrez comment les secondes épouses se donnent du mal pour être compréhensives et «bonnes au lit», surtout si leur mari n'était guère enchanté de sa première épouse à cet égard. Non seulement la sublimation concourt-elle à calmer les angoisses de la seconde épouse, mais les choses qu'elle l'amène à réaliser lui procurent une certaine satisfaction intérieure.

La sublimation est un mécanisme d'autant plus fréquent chez la seconde épouse qu'elle se croit en rivalité (souvent inexprimée) avec la première épouse. Doit-on s'étonner, dans ces conditions, que plusieurs maris se disent beaucoup plus heureux avec leur deuxième épouse?

La dissociation

La dissociation est sans doute la façon la plus répandue de faire face à la situation. L'usage de drogues et/ou d'alcool pour engourdir son malheur ou masquer ses angoisses est un phénomène de la vie courante. La dissociation est définie comme la modification radicale du caractère ou du sens d'identité personnelle pour éviter le désarroi émotif.

Le rôle dévolu aux femmes dans notre société suscite chez plusieurs d'entre elles les caractéristiques communément attribuées aux personnes qui sont dépendantes de la drogue ou de l'alcool. Parce qu'on les définit invariablement sur la base de leurs rapports avec les autres (maris, enfants, amis), les femmes sont considérées comme des enfants. C'est la source de cette attitude patriarcale qui les amène à se définir comme dépendantes, passives, frêles, empathiques, sensibles, maternelles, accommodantes et réceptives. L'intériorisation de ces caractéristiques par les femmes est un moyen très efficace de contrôle social. Si on accepte son état d'infériorité, on acceptera plus facilement le statut qui l'accompagne. S'il en est ainsi pour les femmes en général, ce l'est encore plus pour les secondes épouses, qui sont défavorisées par rapport aux autres, et par rapport à la société en général.

Étant donné l'attitude de la société envers les femmes et envers les secondes épouses en particulier, est-il étonnant que, lorsqu'une femme a du mal à accepter son rôle ou se rebelle contre les injustices qu'il comporte, elle se fasse dire par les gens de son entourage (mari, famille, amis) de rechercher des soins professionnels pour l'aider à surmonter ses problèmes? Plus souvent qu'autrement, son médecin affichera les mêmes attitudes que celles qui sont la cause de son bouleversement. Ceux qui effectuent des recherches sur les habitudes de la drogue et de l'alcool, priés de comparer les traits féminins aux traits masculins, parlent de nervosité, d'instabilité, de névrose, de dépendance sociale, de docilité, de peur, d'émotivité et de passivité.

Les études sur l'usage des psychotropes (tranquillisants) établissent qu'ils font l'objet de 24% des ordonnances et que 70% des ordonnances sont destinées aux femmes. Quatre-vingt-quinze pour cent des usagers de ces drogues les obtiennent sur ordonnance établie à leur nom par un médecin autorisé. Le quart de la population féminine d'Amérique du Nord fait usage de psychotropes une fois par quinzaine.

Quel effet ces drogues produisent-elles chez les femmes qui les absorbent? Essentiellement, elles visent à atténuer les réactions émotives et à soulager les angoisses, la tension ou l'agitation. Mais, parmi leurs effets secondaires, on relève des troubles du sommeil, de l'irritation, des changements de personnalité, des affections cutanées, des nausées et des étourdissements. Pis encore, l'usage prolongé de ces drogues risque d'entraîner la dépendance physique et de sérieuses réactions à la privation. Les patients qui font un usage régulier de prétendus tranquillisants mineurs développent une tolérance et requièrent des doses de plus en plus fortes pour obtenir le même effet. Les usagers chroniques courent le risque d'une dépendance physique et psychologique les empêchant de fonctionner sans la drogue.

D'autres chercheurs ont démontré que les femmes sont victimes de la publicité trompeuse des fabricants de drogues. Des millions de femmes cherchent refuge dans des drogues qui non seulement ne les protègent pas contre l'anxiété ou la dépression mais les exposent à des maladies plus graves. Elles vont chez le médecin se plaindre de malaises inoffensifs, d'angoisses et d'appréhensions, et trouvent des médecins exposés à des réclames comme celle publiée récemment dans un journal médical, recommandant un tranquillisant populaire pour le soulagement des douleurs musculaires chez les hommes et des troubles émotifs chez les femmes. Faut-il s'étonner que, lorsque les femmes recherchent des soins professionnels, elles reçoivent, au lieu de la compréhension, un diagnostic de maladie émotive et une ordonnance?

Trop souvent, hélas, la consommation de drogues légales s'accompagne d'alcool, pour combattre le stress. L'alcoolisme a augmenté par le chiffre renversant de 60% chez les femmes de 1969 à 1979. Il est évident que la transformation du rôle des femmes a entraîné une augmentation de la tension et du stress. L'un des rôles nouveaux qui ont émergé ces dernières années est celui de seconde épouse, laquelle fait face à des tensions inattendues que la société ne reconnaît pas comme des problèmes réels.

Les chercheurs ont constaté que les situations de crise qui ont rapport à la famille et au rôle d'épouse et de mère de la femme sont susceptibles d'amener bien plus souvent les femmes que les hommes à utiliser des drogues et/ou de l'alcool comme exutoire. Chez la seconde épouse, le recours à une forme ou l'autre de bouteille est souvent lié à la frustration des attentes du mariage. Nous nous marions pour commencer une nouvelle vie, et nous nous retrouvons fréquemment enfermées dans une situation de dépendance personnelle et financière, qui ne répond pas à nos besoins. Nous nous sentons parfois terriblement coupables de réclamer des autres ce qu'ils se permettent de réclamer de nous. En qualité de secondes épouses, nous ne pouvons qu'éprouver du ressentiment et de la colère, comme tout autre opprimé, à nous faire traiter comme des femmes de deuxième ordre. La vie quotidienne impose souvent à la seconde épouse une part anormale de bouleversements émotifs et d'iniquité matérielle. Il y a plusieurs raisons pour lesquelles les secondes épouses manquent souvent de confiance, d'indépendance et d'agressivité. Ce sont des pionnières dans le vrai sens du terme. Elles rencontrent peu de femmes qui peuvent leur dire: «Oui, j'ai eu la même expérience et je m'en suis tirée comme ceci.» Si nous tentons d'exprimer nos sentiments, on nous reproche de ne pas nous comporter de façon très féminine.

La seconde épouse doit parer à une double contrainte: celle créée par le stress inhérent à sa condition de deuxième épouse, et l'obligation de surmonter ce stress suivant les règles du comportement féminin acceptable. On ne décourage pas les femmes de chercher refuge dans la drogue et l'alcool. C'est une solution à la mode, jusqu'à un certain point. On prend rarement au sérieux les «déjeuners de femmes» même s'ils incluent trop de martinis. L'usage de drogues et d'alcool est peut-être le plus dommageable des mécanismes de défense dont il a été question dans ce chapitre.

La banalisation des problèmes et des préoccupations des femmes dans notre culture affecte toutes les femmes, et plus encore les deuxièmes épouses. Trop peu de professionnels se sont vraiment donné la peine de réfléchir à ce que ça peut être d'être deuxième épouse, et aux problèmes que cela peut engendrer. Une thérapeute spécialisée dans les problèmes conjugaux des femmes me disait que, même si les femmes la consultent précisément à propos de leur mariage, elles ne mentionnent souvent le mariage antérieur de leur mari qu'au bout de plusieurs séances, alors qu'il peut être la source de leurs difficultés. Certains thérapeutes à qui j'ai parlé se sont étonnés qu'une deuxième épouse puisse avoir des problèmes différents de ceux d'une première épouse. Les deuxièmes épouses, à l'heure qu'il est, sont plus ou moins forcées de se débrouiller toutes seules.

Se débrouiller veut dire venir à bout d'une difficulté. Comme les exemples cités en témoignent, se débrouiller n'est peut-être pas l'expression qui décrit le mieux la façon qu'emploient les deuxièmes épouses pour se tirer de leurs difficultés. Bien peu de leurs méthodes donnent de bons résultats. La plupart des mécanismes de défense expliqués dans ce chapitre sont plutôt des façons de fuir le problème. Ils ne sont cependant pas aussi destructeurs que les deux dernières méthodes utilisées pour combattre le stress et les tensions qui affligent la deuxième épouse. L'une d'elles est le divorce, dont nous parlerons au chapitre dix. Le divorce est la solution finale à une situation domestique intenable. Quand on ne peut plus nier, ignorer ou déplacer le problème, le divorce reste le seul choix. Il ne sauvera évidemment pas votre relation, mais il peut au moins vous sauver. De plus en plus de deuxièmes épouses optent pour cette solution.

L'autre solution, qui suit en général les autres méthodes dont nous avons parlé et précède le divorce, est la violence physique. Celle-ci est habituellement déclenchée par l'accumulation de stress. Lorsque toutes les autres méthodes n'ont pas réussi à soulager la douleur et surtout s'il y a usage d'alcool ou de drogue, la violence physique risque d'éclater. Les exemples qui suivent, tirés de journaux canadiens et américains récents, font voir ce qui peut se produire.

Une femme de trente-deux ans a été accusée de tentative de meurtre sur la personne de son mari, qui est âgé de cinquante-six ans. Elle lui a tiré une balle dans le dos tandis qu'il dormait. L'incident, dit la police, est survenu à la suite d'une querelle domestique à propos du fils issu du mariage précédent du mari.

Un homme de quarante-sept ans a été trouvé coupable du meurtre de sa deuxième épouse et de sa belle-fille, battues à mort à la suite d'une querelle domestique impliquant son fils issu du premier mariage. «J'ai frappé, frappé, frappé», a dit le prévenu. Il a expliqué que son épouse, qui avait beaucoup bu ce soir-là, lui reprochait de passer trop de temps avec son fils. Il a ajouté qu'il savait qu'elle était malheureuse depuis quelques semaines. «Mais c'était une colère qui ne se comprend pas et dont je ne connaissais pas la cause», dit-il.

Ces tragédies sont susceptibles de se répéter si on ne prête pas l'oreille aux deuxièmes épouses et si on ne les aide pas à résoudre leurs problèmes. La petite tape paternaliste dans le dos et l'ordonnance médicale ne seront jamais une solution. Et leur dire qu'elles savaient dans quoi elles s'embarquaient lorsqu'elles se sont mariées suscite aussitôt la question que posent tant de deuxièmes épouses: le savions-nous vraiment?

CHAPITRE 9

La seconde épouse et l'argent

«Tu peux être aussi romantique que tu le désires à propos de l'amour, Hector, mais ne le sois pas à propos de l'argent.»
George Bernard Shaw

Hélas! la plupart des femmes n'observent pas les conseils de Shaw. Elles sont très romantiques aussi bien à propos de l'argent que de l'amour. C'est en partie leur faute et en partie celle de la société, qui leur a inculqué depuis des siècles qu'elles ne devaient pas encombrer leur «jolie petite tête» de sordides questions d'argent, et qu'en revanche de leur ignorance elles trouveraient toujours des hommes pour régler l'addition. Nora, dans *Maison de poupée* de Henrik Ibsen, illustre bien l'attitude féminine à l'égard de l'argent. Lorsque son mari s'enquiert de ce qu'elle veut pour Noël, elle lui demande de l'argent de manière à avoir le sien propre et à ne pas dépendre de lui pour tout. En appréciant le pouvoir de l'argent et la dépendance totale qu'entraîne son manque, Nora était en avance sur son temps. Il reste cependant qu'elle devait le demander à son mari.

Un siècle s'est écoulé depuis la création de *Maison de poupée*, mais les choses n'ont pas vraiment changé pour les femmes en ce qui concerne l'argent. La plupart des femmes comptent toujours sur leur mari pour administrer les finances de la maison et dorment tranquilles en étant assurées qu'il s'occupera d'elles. En abdiquant leur responsabilité de subvenir à leurs propres besoins et en refusant de se familiariser avec les questions d'argent, qui affectent une large part de leur vie quotidienne, les femmes s'exposent à se faire exploiter. Comment se fait-il qu'il y a plus de vieilles femmes vivant près du seuil de la pauvreté que n'importe quel autre groupe social? D'abord, la société a contribué à les enfermer dans un ghetto en leur demandant d'élever la prochaine génération et en disposant d'elles une fois le travail terminé. Elles sont cependant, d'une certaine façon, responsables de leur sort, comme le sont toutes les mères célibataires et les femmes qui vivent dans la pauvreté, parce qu'elles ne se sont jamais donné la peine de s'inquiéter des problèmes d'argent et qu'elles ont aveuglément compté sur un homme pour s'occuper de leurs intérêts. Pourquoi les femmes restent-elles, au fond, résignées à la dépendance financière, publique et privée?

C'est en partie parce que les femmes qui affichent quelque intérêt pour l'argent passent pour mercenaires, sangsues et certes pas très féminines. Personne ne souffre plus de cette attitude que la deuxième épouse. On l'accuse souvent, du reste de s'être mariée pour l'argent, de sorte qu'elle est déjà suspecte. Le second obstacle qui empêche les femmes d'apprendre à manipuler l'argent, c'est l'homme. La raison en est simple. Une fois que les femmes auront maîtrisé l'art d'administrer et de faire de l'argent, à quoi les hommes serviront-ils?

Petit à petit, les femmes prennent conscience de leur situation financière. Elles doivent aborder avec confiance la question des finances familiales (et je ne parle pas seulement d'équilibrer le budget domestique) pour se protéger, elles et leurs enfants. Pour la seconde épouse, cela a encore plus d'importance. Les sections qui suivent sur le contrat de mariage, l'actif, les impôts, le testament, l'assurance et les fonds de retraite ne prétendent pas couvrir tout le sujet. Tout au plus sont-elles destinées à indiquer aux deuxièmes épouses les sujets sur lesquels elles doivent porter leur attention. Il faut aussi espérer qu'elles suffiront à dissiper leurs appréhensions en ce qui concerne l'univers des finances. Les deuxièmes épouses doivent apprendre à gérer elle-mêmes leurs affaires. Sinon, elles s'exposent à être victimes de leur ignorance.

Le contrat de mariage

Jusqu'à récemment, les mariages entre gens fortunés étaient régis non seulement par l'État mais par des contrats individuels, de manière à préserver la fortune familiale, advenant le divorce. L'idée que les contrats de mariage soient réservés aux riches remonte au plus ancien système juridique écrit que nous connaissons, le Code de Hammourabi (roi de Babylone au dix-huitième siècle avant Jésus-

Christ), qui réservait aux possédants le droit de contracter mariage. En plus de préserver la fortune familiale, les contrats de mariage servaient à régler les conventions de la succession, du mariage, de la dot et, chez les nobles, du rang. Il faut se rappeler que les mariages d'autrefois étaient conclus, plus souvent qu'autrement, entre deux familles et non pas entre deux individus, et que le premier objectif des familles n'était pas le bonheur du couple mais la sécurité financière et l'ordre de succession.

Les fondements du mariage moderne sont pratiquement à l'opposé. Nous nous marions par amour, sans penser à l'argent, du moins au début. Ce n'est habituellement que lorsque le mariage se désintègre que surgissent les questions de propriété. Il est souvent alors trop tard, parce que les partenaires ont déjà rompu les communications et sont prêts au combat. Voilà où le contrat de mariage serait vraiment utile. Les contrats de mariage déterminent les droits et les obligations des deux parties, mais la plupart des gens trouvent disgracieux, sinon immoral, de mêler l'amour et l'argent.

Il n'y a pas si longtemps, les contrats de mariage n'étaient pas honorés par les tribunaux, parce qu'il y était question de séparation et qu'on jugeait que ces clauses encourageaient la rupture du mariage. Même aujourd'hui, il n'est pas rare d'entendre dire qu'un couple qui se marie en planifiant sa séparation n'est pas prêt à se marier. Si on s'aime vraiment, dit-on, on n'envisage pas la possibilité du divorce. Les partisans du mariage éternel refusent d'admettre la réalité d'un taux de divorce de 50%. On ne peut pas s'en remettre entièrement à l'amour quand on sait que l'homme qui nous fait aujourd'hui tomber dans les pommes sera peut-être, dans cinq ans, celui qui enlèvera nos enfants pour en obtenir la garde. Les plus pratiques d'entre nous savent que ce qu'ils coûtent de romantisme, les contrats de mariage le rendent bien dans les affres du divorce. Néanmoins, il est souvent difficile d'aborder le sujet avec l'autre. Personne n'aime passer pour mercenaire. Le risque est dix fois plus grand si on marie un homme plus fortuné que soi. En outre, la plupart des gens ne comprennent pas très bien ce qu'est un contrat de mariage et tendent à l'associer exclusivement au divorce. Le contrat peut cependant être utile de bien d'autres façons, puisqu'il peut fixer toutes les règles de conduite qu'il sied au couple de suivre dans le cours du mariage, sauf quelques exceptions. C'est aussi un excellent moyen de clarifier la situation et de mettre toutes les cartes sur table avant qu'il ne soit trop tard.

Déjà utile pour la première épouse, le contrat de mariage est presque une nécessité pour la seconde. D'abord, en définissant les obligations et les contributions de chacun des partenaires, il évite toute mésentente future. Votre mari devra-t-il prendre soin de ses enfants pendant trois mois chaque été tandis que son ex-épouse est en voyage? Quel sera votre rôle? Combien vous coûteront ces trois mois? Ses assurances médicales seront-elles portées à votre nom? Qui paiera l'orthodontiste des enfants? Le contrat de mariage permet à la seconde épouse de savoir exactement ce à quoi elle s'engage. Il lui permettra de déterminer combien gagne son mari, combien il doit verser à sa première épouse et à ses enfants, durant combien de temps et quelle part elle devra assumer. Tout cela peut vous paraître superflu lorsque vous êtes en amour par-dessus la tête, mais ça n'arrangera pas votre relation d'apprendre au bout de cinq ans de mariage que toute son assurance-vie est encore au nom de sa première épouse et qu'il n'est pas question d'y rien changer. Les secondes épouses doivent se protéger mieux que les premières, parce que personne d'autre ne le fera pour elles.

Une fois que vous vous êtes entendus sur la nécessité du contrat de mariage, rappelez-vous qu'il peut être aussi simple ou aussi complexe que vous le désirez. Il ne requiert pas forcément l'intervention d'un avocat, quoique le bon sens commanderait évidemment d'en voir un dans le cas d'un mariage entre une Rockefeller et un Getty. Si vous décidez de consulter un avocat, il est préférable que chacun des partenaires voit son propre avocat, parce qu'un contrat dont les parties sont représentées par le même procureur peut être contesté devant le tribunal en alléguant une influence indue de la partie la plus forte ou même un conflit d'intérêts. Comme tout autre contrat écrit, le contrat de mariage doit remplir certaines conditions pour être valide. Il doit comporter:

1. offre et acceptation (démontrées par les signatures des deux parties);
2. considération adéquate (échange de promesses);
3. considération légale (l'échange de faveurs sexuelles contre du soutien ou des titres de propriété est illégal);
4. des termes clairs et raisonnablement précis, sans trop de vague ni d'ambiguïté;
5. équité (il ne doit pas comporter d'injustices grossières envers l'une ou l'autre des parties);
6. absence de contrainte, de cœrcition ou d'influence indue;
7. révélation pleine et entière de tous les faits pertinents, ainsi que des avoirs et des dettes.

Le contrat doit être signé par les deux parties. Il peut être conclu avant la date du mariage, mais il ne prendra effet qu'au moment du mariage.

Les avantages du contrat de mariage pour la deuxième épouse

Étant donné que les tribunaux exercent de plus en plus de pouvoirs discrétionnaires en matière de partage de propriété et de soutien, le contrat de mariage devient d'un grand intérêt pour la seconde épouse. Vous voudrez peut-être établir dès le départ, et par écrit, à quel nom seront inscrits les avoirs. Vous voudrez aussi savoir exactement à quel soutien vous aurez droit en cas de divorce, ou vous voudrez peut-être protéger les avoirs que vous aurez acquis personnellement au cours du mariage. Si vous savez que vous hériterez d'une propriété ou d'une œuvre d'art de valeur, par exemple, vous voudrez peut-être qu'elle soit portée à votre nom et non pas au nombre des biens du mariage. De la même manière, si vous avez des biens d'un premier mariage, vous voudrez établir clairement qu'ils vous appartiennent en propre. Vous pouvez aussi régler les questions de garde et de soutien d'enfants issus du premier ou du second mariage. Plus vous inclurez de détails dans le contrat de mariage, moins vous risquerez de litiges financièrement et moralement coûteux par la suite.

Les contrats de mariage lient en général les parties, à moins qu'ils ne soient contraires à l'intérêt public. Le contrat ne peut pas comporter de clauses sur la limitation des naissances ou l'échange de faveurs sexuelles, par exemple, parce qu'on le jugerait alors fondé sur les faveurs sexuelles et donc invalide. Le tribunal peut annuler les clauses d'un contrat de mariage qui lui semblent injustes ou qui sont susceptibles de placer l'un des époux à la merci de l'assistance publique.

Le régime auquel vous consentirez restera en vigueur pendant dix, vingt ou trente ans, selon la durée du mariage. Faites en sorte que vous puissiez vous en accommoder et qu'il vous conviendra toujours si votre situation change.

Les actifs

Tout actif inscrit au nom du mari est sujet aux réclamations de la première épouse. En général, il vaut mieux inscrire au nom de la seconde épouse les biens acquis au cours du deuxième mariage si on ne veut pas les exposer aux réclamations de l'ex-épouse (ou des enfants issus du premier mariage). En les portant au nom de la seconde épouse, on peut éviter les problèmes susceptibles de découler du testament et de la succession, puisque les biens ne feront pas partie de la fortune du mari. Ils feront partie de celle de son épouse et seront ainsi à l'abri de l'ex-famille.

Une autre bonne raison de porter les actifs au nom de la seconde épouse, c'est que si le mari fait défaut, pour une raison ou pour une autre, à la pension alimentaire qu'il est tenu de verser à sa première épouse (ou à ses enfants) en vertu d'un règlement de séparation ou d'un ordre de la cour, la première épouse peut obtenir du tribunal un jugement stipulant une somme d'argent en sa faveur. Armée d'un tel jugement, elle a les mêmes droits que tout créancier sur son débiteur, y compris le droit de saisir et de revendre les biens du débiteur. Le créancier ne peut cependant exercer ce droit qu'un an après la passation du jugement.

La dernière raison pour laquelle il est sage d'inscrire les biens acquis au cours du second mariage au nom de la seconde épouse, c'est que le règlement de séparation accordant une pension alimentaire à l'ex-épouse ou aux enfants du premier mariage n'expire pas forcément avec le décès du mari. Il peut être appliqué contre ses biens après son décès. Les actifs nécessaires au règlement de l'obligation financière peuvent être saisis et revendus, quelles que soient les stipulations du testament du mari.

Il semble donc que, pour protéger la deuxième épouse et tout enfant d'un second mariage des responsabilités financières contractées lors du premier mariage, la plupart des maris seraient bien avisés d'inscrire leurs principaux actifs au nom de leur deuxième épouse. Le font-ils? Notre enquête révèle que 61% des maris n'avaient inscrit aucun des biens acquis durant leur premier mariage au nom de leur première épouse, mais que 63,4% avaient inscrit au moins une partie des biens acquis au cours du second mariage au nom de leur deuxième épouse. Vingt-sept pour cent ne s'étaient pas donné la peine d'inscrire d'actifs au nom de l'une ou de l'autre, et 20% avaient porté une part de leurs biens au nom des deux. Seulement 9,7% avaient porté des biens au nom de leur première épouse, mais pas de la seconde.

Les maris qui, pour la plupart, n'avaient pas porté d'actifs au nom de leur première épouse ont donc changé d'idée au second mariage. Peut-être ont-ils protégé leur deuxième épouse (et les enfants du second mariage) parce qu'ils se souciaient davantage de leur sécurité financière. Ou peut-être exerçaient-ils une petite vengeance contre leur première épouse pour les avoir dépouillés de leurs biens lors du divorce. Ils ont en même temps clairement établi où se situait leur loyauté. Les statistiques ne disent pas si le mari «roulé» par sa première épouse hésitera davantage à placer des actifs au nom de sa seconde, puisque moins de 10% des maris qui avaient inscrit des actifs au nom de leur première épouse ont refusé de le faire en faveur de la seconde.

Étant donné que le climat légal semble favoriser les premières épouses au détriment des maris ou des deuxièmes épouses, et afin de reconnaître la contribution financière de la deuxième épouse au mariage et d'assurer sa situation, il est souhaitable de porter les principaux actifs au nom de la seconde épouse et d'éviter ainsi que l'ex-épouse ou les enfants du premier mariage ne saisissent des biens auxquels ils n'ont, en réalité, aucun droit.

Les impôts

Si vous mariez un divorcé ou si vous envisagez de vivre avec un homme en instance de divorce en attendant de pouvoir le marier, vous feriez bien de vous renseigner sur sa situation fiscale, car elle risque d'affecter les finances du couple. Les lois des impôts, comme les lois du divorce, varient d'un endroit à l'autre. Nombre de fiscalistes pensent aussi que les lois des impôts, comme celles du divorce, ont des années de retard sur les réalités sociales. Même si la notion de tort a supposément été retranchée des lois du divorce dans les années 1970, elle est toujours présente dans les lois des impôts. Sur le plan fiscal, le divorce peut être aussi terrible, en particulier pour le mari, que l'a été sur le plan émotif la rupture du mariage. Les lois des impôts sont punitives d'une façon vraiment anachronique. Tout le monde n'y perd pas, évidemment, dans une cause de divorce. Le gouvernement s'en tire en général fort bien. Aux États-Unis, les impôts liés au divorce rapportent à l'État, bon an mal an, quelque cinq cents millions de dollars (dont cent millions sur les seules pensions alimentaires).

Une partie du problème vient de ce que les gens ne connaissent pas les implications fiscales du divorce. Lorsque son univers s'écroule, il est plutôt difficile de se concentrer sur la manière d'échapper à l'impôt. Un autre aspect du problème, c'est l'implacabilité des lois fiscales qui font de drames personnels des sources de revenus supplémentaires pour l'État.

Il est donc important que la seconde épouse donne son point de vue objectif sur la position financière de son mari, parce qu'ils devront tous deux porter durant des années le poids des décisions qu'ils prendront à ce moment-là.

Les impôts et le partage des biens

Aux États-Unis, les lois fiscales sont ainsi faites que le mari qui cède (ou est forcé de céder) sa part de la maison familiale risque de devoir payer un impôt sur les gains de capitaux pour l'appréciation de la valeur de la maison tandis qu'il en était propriétaire. L'impôt est payable dès la finalisation du divorce. Le département du revenu considère le transfert de propriété comme une vente même si techniquement l'épouse n'a pas acheté la maison. Le même principe s'applique si le mari et l'épouse s'échange des biens d'égales valeurs (par exemple, l'épouse cède son intérêt dans l'entreprise familiale en retour de l'intérêt du mari dans la maison). Le fisc ne considère pas la transaction comme un échange mais comme deux ventes distinctes, et donc toutes deux sujettes à l'impôt, dans les 43 États où les biens acquis durant le mariage ne deviennent pas automatiquement propriété conjointe. Le mari doit donc payer un impôt sur l'augmentation de la valeur de la maison, et l'épouse, sur l'augmentation de la valeur de l'entreprise. Si l'épouse n'a pas d'argent, c'est en général le mari qui est forcé d'acquitter les deux factures.

Les couples qui divorcent dans les États où la communauté de biens est la règle n'ont pas à payer d'impôts sur un échange de biens d'égales valeurs parce que le fisc ne considère pas le partage des biens conjoints comme une vente. Cependant, si le mari ou la femme utilisent des biens personnels (comme leurs comptes de banque particuliers) pour acquérir l'autre moitié d'une propriété conjointe, cela devient une transaction assujettie à l'impôt. Le paiement d'une obligation par versements après divorce est aussi considéré comme une transaction imposable.

Pour la plupart des couples, bien choisir le moment du divorce est crucial pour éviter de payer trop d'impôt. Toute vente devrait survenir après le divorce, parce que les règlements de l'impôt qui s'appliquent à la vente de biens entre parents sont très sévères (n'allez donc pas échanger des biens avant de divorcer dans l'espoir d'épargner de l'impôt). Après le divorce, les biens seront taxés au taux plus avantageux de l'impôt sur les gains de capitaux. C'est donc le meilleur moment de les «vendre» à l'ex-conjoint. Le mari qui, pour se montrer généreux, laisse la maison familiale à son ex-épouse et à ses enfants se retrouve en général avec une lourde facture d'impôt lorsqu'il «vend» la maison au moment où lui (et sa seconde épouse) peuvent le moins se le permettre. Au Canada, le transfert de part de la maison familiale du mari à l'épouse est assujetti à l'impôt.

L'impôt sur la pension alimentaire

Aux États-Unis, la pension alimentaire est imposable au bénéficiaire (d'ordinaire l'épouse) et déductible du revenu de la personne qui paie (d'ordinaire le mari), pourvu que les paiements soient effectués en vertu d'une ordonnance de divorce ou de séparation, d'un jugement écrit de divorce ou de séparation, d'une entente de séparation ou d'une ordonnance de soutien. Si le mari verse simplement une somme d'argent à son ex-épouse chaque mois sans y être tenu par l'un ou l'autre de ces documents écrits, il ne peut déduire les versements de son revenu imposable. Aussi les ex-épouses ou les épouses séparées un peu rancunières tardent-elles souvent le plus longtemps possible avant d'obtenir un jugement écrit, parce que, dès qu'il y aura jugement, elles devront payer de l'impôt sur la somme d'argent qu'elles reçoivent.

Les allocations pour la subsistance des enfants ne constituent pas un revenu pour le bénéficiaire et ne sont pas déductibles du revenu de la personne qui les paie. Il est donc important d'établir clairement, dans l'ordonnance de divorce, quelle somme est allouée aux enfants et quelle somme est versée à l'ex-épouse. Dans l'État du Texas, qui n'autorise pas la pension alimentaire, les secours versés aux enfants sont souvent gonflés pour assurer également le soutien de l'ex-épouse, de sorte que le mari ne jouit d'aucun privilège fiscal.

Au Canada, la pension alimentaire (payée avant la dissolution du mariage) et les paiements de soutien (versée après la dissolution du mariage) sont déductibles du revenu de l'obligé, pourvu qu'ils découlent d'une entente écrite. Les paiements faits à un tiers (c'est-à-dire les paiements d'hypothèque, de factures de gaz, d'électricité, etc.) sont aussi déductibles et imposables au bénéficiaire si celui-ci en profite directement. Les allocations versées pour le soutien des enfants sont aussi imposables au parent qui a la garde des enfants (d'ordinaire l'épouse) et déductibles du revenu de l'obligé.

En Grande-Bretagne, tous les paiements effectués en vertu d'une ordonnance de la cour ou d'un accord exécutoire pour le soutien de l'épouse ou de l'ex-épouse sont déductibles du revenu du mari et imposables à la femme. Les montants versés au-delà d'une exemption annuelle de 1 092 livres sont frappés d'un impôt de 33%. Les paiements volontaires ne sont ni déductibles ni imposables. Les allocations versées directement aux enfants leur sont imposables et sont déductibles du revenu du payeur. Si le divorce est accordé par une cour étrangère, l'obligé résidant en Grande-Bretagne ne peut déduire aucun impôt, mais le bénéficiaire qui habite au Royaume-Uni devra payer un impôt.

La pension alimentaire ou les paiements de soutien au Canada et aux États-Unis, doivent être versés périodiquement pour être déductibles. Cela veut dire qu'ils doivent être versés par montants fixes sur une période indéfinie ou par montants indéfinis sur une période fixe. La pension provisoire n'est donc pas déductible du revenu du mari ni imposable à l'épouse.

Les règlements forfaitaires (montant global, fixé par entente), même s'ils sont effectués par versements sur un certain nombre d'années, ne sont, au Canada, ni déductibles ni imposables. C'est pourquoi beaucoup d'hommes qui seraient en mesure de verser d'un seul coup un gros montant à leur ex-épouse préfèrent l'étaler par versements. Aux États-Unis, on peut déduire 10% par année d'un principal versé sur un certain nombre d'années (jusqu'à concurrence de 10 ans).

Autre point d'intérêt: au Canada, ni les frais juridiques du divorce (généralement acquittés par le mari) ni les frais légaux encourus pour faire respecter une ordonnance de soutien ne sont déductibles. Et cela malgré le fait que, jusqu'à récemment, l'épouse pouvait déduire de son revenu les frais qu'elle encourait pour ramener son mari devant le tribunal.

Impôt sur le mariage

Puisqu'une si forte proportion de secondes épouses travaillent, il est bon qu'elles connaissent l'existence d'un impôt sur le mariage avant de décider de se marier légalement plutôt que de simplement cohabiter. Dans un effort pour répartir plus équitablement le fardeau de l'impôt entre gens mariés et célibataires, le Congrès américain a décidé, en 1969, d'imposer ce qu'on est convenu d'appeler une pénalité sur le mariage. Depuis, nombre de couples qui, autrement, auraient convolé ont préféré s'abstenir. En vertu du système d'impôt progressif, le premier dollar imposable du second revenu (c'est-à-dire celui de l'épouse) est taxé au même taux que le dernier dollar imposable du premier revenu (c'est-à-dire celui du mari). La facture d'impôt du couple marié à double revenu est donc substantiellement plus élevée que celle du couple célibataire qui cohabite. La loi a soulevé un tollé de protestations depuis dix ans. Elle a même poussé certains couples à divorcer. Depuis 1983, tout couple disposant de deux revenus peut déduire la première tranche de 10% des premiers 30 000 dollars du second revenu. Plus la fourchette d'impôt du couple est élevée, plus il épargne. Sous prétexte de supprimer des injustices, ou en a cependant créé de nouvelles, puisque la pleine déductibilité ne s'applique que si chacun des époux gagne au moins 30 000 $ par année. Or, les couples qui disposent d'un tel revenu sont nettement minoritaires.

Voilà un autre exemple de retard des lois sur la réalité. En pénalisant ainsi les familles à double revenu, on oublie que le second revenu n'est pas un luxe mais une nécessité à notre époque, particulièrement dans le cas de la deuxième épouse.

Les testaments

La préparation du testament est un sujet qu'on évite généralement d'aborder. Ou bien on le trouve disgracieux, parce qu'il est forcément lié à la mort d'un être cher, ou bien on croit qu'il ne concerne que les gens riches et que nos maigres biens n'ont pas besoin d'être enveloppés de tout un blabla juridique pour être équitablement partagés après notre mort. Les femmes ont particulièrement tendance à éviter la question, parce qu'elles estiment qu'elles n'ont pas grand-chose de valeur à léguer. Elles font confiance au mari pour s'occuper de ce genre de choses.

Jusqu'à récemment, peut-être avaient-elles raison. Sauf chez les gens riches, ce sont les hommes qui s'occupaient habituellement du testament, parce que c'était eux qui possédaient les biens. Les temps ont changé, cependant. Les femmes, et particulièrement les secondes épouses, ont aujourd'hui intérêt à veiller de près à la préparation du testament.

Le testament concerne la seconde épouse de deux façons. D'abord, elle devrait s'enquérir si son mari a fait un testament et, si oui, de ce qu'il contient. Il ne s'agit pas d'être mercenaire mais d'être pratique. La plupart des femmes présument qu'elles hériteront de la plupart des biens de leur mari, mais la seconde épouse ferait bien de le vérifier. En second lieu, elle devrait veiller à préparer son propre testament, pour prendre soin de sa famille et de ses dépendants, puisque sa famille et celle de son mari ne sont pas forcément la même.

Le fait est que les hommes ne font pas tous un testament. Dans la plupart des provinces canadiennes, la loi de succession *ab intestat* stipule que le conjoint survivant reçoit une «part réservée», le solde étant partagé entre les enfants, petits-enfants et autres descendants du défunt.

La part réservée varie considérablement d'une province à l'autre. Elle est de 20 000 $ en Colombie britannique, de 40 000 $ en Alberta et en Saskatchewan, de 50 000 $ en Nouvelle-Écosse, à l'île du Prince-Édouard et au Manitoba. Au Nouveau-Brunswick, le conjoint survivant n'a pas droit à une part réservée. À Terre-Neuve, il peut toucher 30 000 $ s'il n'y a pas de descendant vivant; autrement, la loi répartit également l'héritage entre lui et les descendants. En Ontario, la loi stipule que le conjoint du défunt reçoit au moins la première tranche de 75 000 $ et, en l'absence d'enfants (du premier ou du second mariage), la totalité de la succession. S'il y a un enfant, le conjoint reçoit la première tranche de 75 000 $ et partage le reste avec l'enfant. S'il y a deux enfants ou plus, le conjoint reçoit la première tranche de 75 000 $ et le tiers du reste, le solde étant partagé entre les enfants.

Au Québec, si le mari décède intestat en laissant une épouse et un enfant ou un autre descendant direct, le conjoint a droit au tiers de la succession, quelle qu'en soit la valeur. Le descendant a droit aux deux tiers. S'il y a plusieurs descendants, ils se partagent également les deux tiers restants.

Si vous êtes mariés en secondes noces et que votre mari décède intestat, vous devez cependant vous attendre à ce que d'autres personnes, outre vous et vos enfants, prétendent à la succession. Si votre mari versait une pension alimentaire ou des allocations de soutien à un enfant, les bénéficiaires de ces subventions, à titre de dépendants, auront aussi droit à l'héritage. L'absence de testament précisant clairement ses intentions quant au partage de ses biens risque de vous engager dans d'interminables procédures judiciaires avec le reste de la famille. Ce qui ne veut pas dire que son ex-épouse et ses enfants ne pourraient pas contester et le tribunal invalider un testament en bonne et due forme vous léguant tous ses biens. En rédigeant un testament, votre mari vous rendra toutefois les choses plus faciles devant la cour, parce que le juge pourra tenir compte de ses volontés. Vous devriez donc encourager votre mari à préparer un testament. Autrement, plus il y aura de gens qui prétendront à sa succession, plus vous aurez de mal à préserver ce que, peut-être, il vous destinait.

Voyons le cas d'un mari qui avait pris soin de rédiger un testament dans les formes. Ses enfants du premier mariage le contestent, mais la veuve est bien mieux placée qu'elle ne le serait s'il était mort intestat. Homme d'affaires à la retraite, le mari était relativement fortuné au moment de sa mort. Selon ses dernières volontés, sa seconde épouse, âgée d'une soixantaine d'années, devait vivre de l'usufruit de ses biens, que se partageraient également, à son décès, les deux enfants issus de son premier mariage, qui étaient dans la trentaine avancée. Les deux enfants traînèrent leur belle-mère en cour en alléguant qu'elle s'acquittait mal de ses responsabilités d'exécutrice testamentaire et voulait disposer de la fortune de leur père. Ils exigeaient, en outre, le remboursement des 178 000 $ qu'elle avait perçus de la succession sur une période de neuf ans. L'affaire, toujours pendante devant les tribunaux, montre bien ce à quoi une épouse en secondes noces peut s'attendre même si les dernières volontés de son mari sont clairement établies.

Plus de 85% des maris échantillonnés dans notre enquête et une proportion bien moins grande de secondes épouses disent avoir pris des dispositions pour leur succession en cas de décès. Il est intéressant de voir à quel point ils disposent différemment de leurs biens. Plus de 50% des maris lèguent leurs biens à leur seconde épouse et à leurs enfants (de l'un ou de l'autre, ou des deux mariages et, habituellement, à parts égales). Environ 32% lèguent tout à leur deuxième épouse et 15% laissent tout à leurs enfants sans rien prévoir pour leur deuxième épouse. Chez les femmes, c'est une tout autre histoire. Quarante pour cent des secondes épouses laissent leurs biens à leurs amis ou à leurs parents, et ne laissent rien à leur mari. Cela se comprend si on pense que beaucoup de secondes épouses n'ont pas d'enfants et n'entendent pas que leurs biens passent aux mains de la famille de leur mari si celui-ci décédait après en avoir hérité. Elles préfèrent partager leur fortune entre les gens qui leur sont chers. Seulement 25% des deuxièmes épouses laissent tous leurs biens à leur mari, et 28% partagent leur succession également entre leur mari et les enfants issus de leur mariage avec lui.

Aucun des maris échantillonnés ne faisait de legs à sa première épouse. D'ordinaire, à moins d'indication contraire dans le testament (telle qu'un contrat testamentaire qui rend le testament irrévocable et interdit au testateur d'y inclure un nouveau bénéficiaire ou d'en exclure un ancien s'il se remarie), le legs à une première épouse est révoqué et, aux fins du testament, la première épouse est considérée comme étant morte avant le testateur.

À l'égard des enfants issus d'un second mariage, il est bon de savoir que si le mari ne pourvoit pas convenablement ses dépendants (les enfants du premier ou du second mariage qui sont à sa charge), qu'il soit décédé avec ou sans testament, la cour peut, sur demande, ordonner qu'un montant de la succession soit réservé à cette fin.

Dans ce cas, tous les enfants mineurs du défunt sont traités sur le même pied, c'est-à-dire qu'il ne peut favoriser un groupe d'enfants au détriment de l'autre. Cela ne signifie pas que tous les enfants auront une part égale à la succession, mais simplement qu'ils auront de quoi vivre aussi longtemps qu'ils seront mineurs. Si la cour est saisie d'une telle demande, elle peut suspendre l'exécution du testament en tout ou en partie jusqu'à ce que l'affaire soit réglée. Il y va donc de l'intérêt de chacun de veiller à régler l'affaire le plus rapidement possible. Le juge doit savoir distinguer, dans ce cas, entre le besoin et la convoitise. Il est arrivé que des enfants convoitant simplement une part de l'héritage de leur père entravent l'exécution du testament jusqu'à ce qu'ils aient forcé les enfants dans le besoin à accepter des conditions qu'ils auraient autrement refusées.

Aucune demande de soutien ne peut être présentée plus de six mois après l'homologation du testament (s'il y a testament) ou après que la cour ait accordé les lettres d'administration (s'il n'y a pas de testament). Les lettres d'homologation et d'administration autorisent les exécuteurs (les administrateurs de la succession) désignés dans le testament ou nommés par le tribunal à administrer et à distribuer la succession. Les dépendants autorisés à déposer une réclamation contre la succession sont: les parents, les enfants, les frères et sœurs, et l'épouse du défunt. La définition d'épouse inclut dans ce cas celle dont le mariage au défunt a été révoqué ou annulé. L'épouse divorcée peut donc être dépendante et déposer une réclamation contre la succession. L'épouse de droit commun peut aussi être considérée comme dépendante. Comme pour les paiements de soutien, la cour peut ordonner le paiement d'une somme d'argent (en un nombre limité ou illimité de versements) ou l'appropriation ou l'usufruit d'une part des biens pour satisfaire à la requête. Il faut bien dire que la cour est aujourd'hui moins scrupuleuse qu'on ne le croit généralement de l'inviolabilité du testament. Cet extrait d'un jugement de 1870 illustre l'opinion qu'on se fait encore du respect que le tribunal porte à la dernière volonté d'un défunt.

> *La loi anglaise laisse tout à la discrétion absolue du testateur en présumant que, même si la fantaisie, la passion,* l'effet de nouvelles alliances, *la machination ou quelque sinistre influence peuvent parfois conduire à négliger des revendications qui devraient être satisfaites, l'instinct et le bon sens naturels garantissent une meilleure disposition des biens du défunt, et mieux adaptée aux circonstances de chaque cas particulier, que ne sauraient le faire les règles figées et inflexibles du droit.*

Bref, dit le jugement, il faut faire confiance au bon sens et à la morale du testateur, même remarié, pour faire le nécessaire à l'égard de ses dépendants.

Il est clair que les choses ont bien changé et que le tribunal n'hésite plus aujourd'hui à faire valoir «les règles figées et inflexibles du droit» contre la volonté du testateur. Dans la préparation du testament, par conséquent, ne perdez pas de vue que la loi est susceptible d'intervenir, quelle que soit votre volonté. Ainsi, la seconde épouse légataire unique peut compter que les tribunaux veilleront à ce que la succession continue de soutenir les autres dépendants du défunt (c'est-à-dire sa première épouse et ses enfants). Dans ce contexte, il faut rappeler que, si les enfants mineurs grandissent et peuvent un jour se dispenser du soutien de la succession, il n'en va pas de même pour l'ex-épouse. Elle peut continuer d'avoir droit à une subvention pendant toute sa vie.

Beaucoup de gens sont intimidés par la procédure testamentaire et pensent qu'il ne peuvent pas faire de testament sans passer par un homme de loi. Ce n'est pourtant pas le cas. Compte tenu de certains principes de base, n'importe qui peut rédiger un testament, n'importe quand et n'importe où. Le testament maison peut être fait de deux façons. Il peut être fait à la manière anglaise, c'est-à-dire écrit de la main de n'importe qui (ou tapé à la machine ou imprimé), mais signé par le testateur en présence de deux témoins qui ne sont ni l'un ni l'autre bénéficiaires. Le testament olographe doit être entièrement écrit de la main du testateur et porter sa signature. Il n'est pas nécessaire qu'il soit authentifié par des témoins. Dans les deux cas, il faut que soit établie clairement l'identité du donateur, du legs et du légataire. L'intention du testateur doit être exprimée clairement par écrit pour que le testament soit validé par le tribunal, mais point n'est besoin d'un document légal compliqué, à moins que le testateur n'ait beaucoup à léguer à plusieurs personnes. Dans ce cas, il vaut mieux solliciter les conseils d'un avocat ou d'un notaire.

La seconde épouse serait bien avisée de rédiger un testament, surtout si les biens acquis durant son mariage sont portés à son nom ou si elle a des dépendants. Le testament n'est pas morbide. C'est un document d'affaires qui rendra la vie plus facile à votre famille et à vos amis s'il vous arrive quelque chose. Comme deuxième épouse, vous seriez aussi bien avisée de vous renseigner sur le testament de votre mari. Ne faites pas l'erreur de cette deuxième épouse qui n'a appris qu'après la mort de son mari qu'il avait tout légué à sa première épouse. Vaut mieux être préparée.

L'assurance

Une récente page d'annonce d'Imperial Life Insurance Company dans un grand magazine national d'information était coiffée du titre suivant: *AUTREFOIS, LA FEMME N'AVAIT PAS BESOIN D'UNE AUTRE ASSURANCE-VIE QUE LE MARIAGE.* L'annonce ajoutait: «Le mariage était une garantie que vous n'auriez plus à vous préoccuper de rien.» Maintenant qu'un mariage sur trois aboutit au divorce, concluait-on, «plus de femmes décident de veiller à leurs propres affaires». Plaise au ciel qu'il en soit ainsi!

Aujourd'hui, la plupart des premières épouses restent protégées par l'assurance de leur ex-mari. L'assurance-vie est de plus en plus intégrée par les avocats aux règlements de divorce et de séparation, c'est-à-dire que les maris doivent maintenir leur assurance-vie au profit de leur ex-épouse et/ou de leurs enfants. Cela veut dire aussi que le mari ne peut *jamais* changer le bénéficiaire de sa police d'assurance.

Ce phénomène entraîne de sérieuses conséquences pour la deuxième épouse et ses enfants. La plupart des hommes n'ont pas les moyens de défrayer une double assurance, c'est-à-dire une assurance pour chaque famille. Puisqu'ils doivent continuer de payer leur première assurance-vie et qu'ils ne peuvent pas en changer le bénéficiaire, leur deuxième épouse passe à côté du pot. Les maris dont la police d'assurance est liée à leur emploi et qui ne peuvent s'en offrir d'autre ou qui normalement n'en envisageraient pas d'autre sont souvent forcés de se résigner à en prendre une en faveur de leur nouvelle épouse. Sinon, leur deuxième épouse ne serait pas protégée, advenant leur décès. Les deuxièmes épouses devraient se renseigner sur le portefeuille d'assurances de leur mari et acquérir leur propre assurance-vie si elles ont des dépendants.

Beaucoup de femmes pensent ne pas avoir besoin d'assurance-vie parce qu'elles ne sont pas le gagne-pain de la famille et que leur mort ne priverait pas les leurs d'un soutien essentiel. C'est peut-être le cas de la première épouse restée à la maison pour élever les enfants (selon la valeur matérielle qu'on attache au rôle de femme de maison), mais pas celui de la seconde épouse qui travaille et dont le revenu est partie intégrante des ressources de la famille. Le budget de la famille pourrait souffrir grandement de son décès ou de son incapacité. La seconde épouse qui a des enfants devrait aussi penser à les protéger par une assurance-vie, parce que, advenant son décès, il est peu probable qu'ils puissent compter sur le seul salaire du père pour défrayer leurs études.

Beaucoup de femmes évitent les questions d'assurances, parce qu'elles ne comprennent pas les divers types de polices et les bénéfices qu'elles offrent. La meilleure façon de trouver une assurance qui correspond à vos besoins est de magasiner. Voici un aperçu de ce qu'il faut rechercher en matière d'assurances.

Quelle sorte d'assurance?

La femme de carrière qui a des enfants à charge doit considérer ces trois possibilités:

1. une assurance-vie qui puisse compenser son salaire si elle meurt;
2. une police d'assurance qui puisse solder l'hypothèque ou d'autres dettes;
3. une assurance-incapacité au cas où elle serait malade ou frappée d'une incapacité provisoire ou permanente.

Une fois persuadée qu'il lui faut une assurance, elle doit en déterminer le montant et la nature.

Il n'est guère compliqué de figurer le montant d'assurance requis, une fois le besoin établi. Commencez par estimer votre valeur nette. Calculez les sommes d'argent qui deviendront disponibles à votre mort, y compris vos fonds de pension d'origine publique ou privée, la valeur de vos placements, de vos épargnes et de votre compte en banque. Si vous possédez une maison dont vous souhaitez qu'on dispose à votre décès, ajoutez la valeur de la maison moins le solde de l'hypothèque. Du total de vos actifs, déduisez votre passif. Le solde constitue votre bien. D'ordinaire, seules les grandes fortunes sont assujetties aux droits de succession. Si vos biens tombent dans cette catégorie, portez le montant de l'impôt à votre passif. Votre police d'assurance ne sera vraisemblablement pas sujette à l'impôt, mais elle peut être ajoutée à vos biens et, dans ce cas, amener la valeur totale dans la fourchette imposable.

Une fois que vous aurez calculé la valeur de vos biens, déterminez le montant d'argent dont vos dépendants auront besoin lorsque vous ne serez plus là pour les soutenir. Soustrayez le montant de toute autre source de revenu dont vous disposez. Le solde équivaut au montant d'assurance que vous devez vous procurer. Il y a plusieurs façons d'établir le montant d'assurance qu'il vous faut. L'une des plus courantes consiste simplement à multiplier par cinq le montant de votre revenu annuel.

Une fois que vous aurez établi combien il vous faut, vous devrez décider du type d'assurance qui vous convient. Il est préférable de s'en faire une idée avant de consulter un agent d'assurances. Souvenez-vous que les agents travaillent à pourcentage et qu'ils peuvent être tentés de vous vendre plus d'assurances que vous n'en avez réellement besoin, ou des assurances plus coûteuses que nécessaire. En gros, il existe deux types d'assurance-vie: l'assurance-vie temporaire et l'assurance-vie entière. Les agents d'assurances touchent davantage sur les polices à vie entière, mais elles coûtent plus cher à l'assuré. Il importe que vous sachiez la différence. L'assurance-vie temporaire ne vous protège que pour une durée déterminée. Si vous mourez dans l'intervalle, la compagnie d'assurances paie. Au-delà de la période, cependant, vous n'êtes plus protégée. L'assurance-vie temporaire est idéale pour la femme qui veut protéger ses dépendants pour une période limitée ou qui veut couvrir le montant de son hypothèque au cas où elle mourrait avant que le prêt ne soit acquitté. L'assurance-vie entière est le genre de police qui garantit un montant global au moment du décès, quel qu'il soit, ce qui explique que la prime soit beaucoup plus élevée. Beaucoup vous diront que l'assurance-vie temporaire est préférable à l'autre. Puisque les statistiques démontrent que les femmes sont susceptibles de survivre à leur mari, la police temporaire est probablement celle qui vous conviendra le mieux.

Les polices temporaires

Il existe une variété de polices d'assurance-vie temporaires. La police «nivelée» garantit que le montant de l'assurance sera ferme pendant toute la durée de la police, mais le montant des primes peut augmenter, puisque, à mesure que vous vieillissez, le risque que la compagnie ait à payer augmente. La police nivelée peut aussi être renouvelable, c'est-à-dire qu'à son expiration vous pourrez la renouveler sans subir d'examen médical. La prime peut augmenter si vous renouvelez la police, et vous ne pourrez la renouveler qu'un certain nombre de fois. L'assurance-vie temporaire peut aussi être «décroissante», c'est-à-dire que le montant assuré décroîtra chaque année, mais la prime sera ferme. Cette police vous conviendra si votre objectif est d'assurer le solde de votre hypothèque. Elle peut être réglée de manière que le montant assuré décroisse en proportion de l'hypothèque. L'assurance-vie temporaire peut être «transformable» c'est-à-dire que vous pourrez convertir la police en assurance-vie entière sans subir d'examen médical à la date d'expiration.

Certaines polices offrent des combinaisons. Elles peuvent être nivelées au départ, devenir décroissantes à n'importe quel anniversaire, et redevenir nivelées ou se transformer en assurance-vie entière au choix de l'assuré. La possibilité de modifier la police, voire d'augmenter le montant de l'assurance, sans nouvel examen médical, est appréciable, d'autant que le risque de maladie augmente avec la vieillesse.

Moyennant, naturellement, une prime plus élevée, certaines polices vous offrent la possibilité de participer aux profits de la compagnie.

L'assurance-vie entière

L'assurance-vie entière s'appelle indifféremment «vie», «vie ordinaire», «vie permanente» ou «vie à valeur de rachat», mais il s'agit toujours du même type d'assurance. La compagnie paie au décès, à moins que vous n'encaissiez la police avant. La prime d'assurance-vie entière restera ferme (pendant toute la durée de votre vie) même si le risque de la compagnie augmente à mesure que vous vieillissez. La compagnie compense en exigeant plus qu'elle n'a besoin pour garantir le risque au début de la police, et moins par la suite. Naturellement, plus vous serez jeune au moment de vous assurer, moins la prime sera élevée. Les jeunes assurées paient les primes les plus basses parce qu'elles ont une longue espérance de vie et qu'elles paieront par conséquent plus longtemps.

À mesure que les primes d'assurance-vie entière s'accumulent, la valeur de rachat de la police augmente. La valeur de rachat est le montant d'argent que vous recouvrez si vous annulez la police. Vous pouvez aussi emprunter de la compagnie d'assurances un montant équivalant à la valeur de rachat, à faible taux d'intérêt. Rappelez-vous, cependant, que la compagnie vous prête, en fait, votre argent, et qu'elle prendra soin de déduire le solde du prêt de la valeur nominale de la police à votre décès. La valeur de rachat augmente très lentement, et vous devrez laisser votre argent en dépôt pendant une certaine période (deux ans) avant de réemprunter. Si votre objectif est l'épargne, vous feriez mieux d'investir dans un compte d'épargne bancaire, parce que le taux d'intérêt qu'offrent les compagnies d'assurances sur vos «épargnes» est inférieur d'au moins 2% à celui que paie l'épargne à long terme sous forme, par exemple, de certificat de placement garanti. Pensez aussi que si vous conservez la police jusqu'à votre décès, la compagnie d'assurances ne paiera que la valeur nominale de la police et non pas toute la somme que vous aurez investie. La différence peut être considérable, surtout si vous étiez jeune quand vous avez souscrit à la police.

Il existe aussi une variété de polices d'assurance-vie entière. L'une est à primes limitées, c'est-à-dire que vous ne paierez qu'un nombre limité de primes. Les primes seront plus élevées, mais cette assurance vous conviendra si vous pensez gagner le gros de vos revenus en peu de temps. La police à prime unique est une assurance-vie entière que vous réglez entièrement à l'achat. La police à dotation est payable à sa maturité. On pourra, par exemple, vous verser le montant assuré à 65 ans, pour subvenir à votre retraite. La police est cependant très coûteuse. Plus qu'une assurance, elle est un moyen d'économiser.

L'assurance-invalidité

Toutes les femmes qui travaillent devraient songer à s'assurer contre l'invalidité en plus des assurances sociales dispensées par les gouvernements, surtout si elles ont des dépendants. En dépit de ce que prétendent les compagnies d'assurances, voilà une zone de discrimination notoire à l'égard des femmes. Souvent, les compagnies n'offrent pas d'assurance-invalidité individuelle aux femmes, et celles qui le font réclament jusqu'au double de la prime versée par les hommes pour la même assurance. Pour les femmes qui travaillent à la maison et qui sont ménagères à plein temps, il est virtuellement impossible de se procurer de telles assurances. Cette discrimination s'explique du fait que les primes sont fondées sur le taux de réclamation et que les femmes réclament bien plus souvent que les hommes. Les hommes enregistrent toutefois de plus longues périodes d'absence que les femmes pour cause d'invalidité, et ils sont beaucoup plus enclins à de sérieuses maladies comme le cancer et les défaillances cardiaques.

Certaines compagnies offrent l'assurance-invalidité en complément de l'assurance-vie aux femmes qui travaillent. La police typique prévoit des indemnités au bout d'une période d'attente de trois mois. À vingt-cinq ans, l'assurée paie 40% de plus que l'assuré du même âge pour la même couverture, et, à quarante-cinq ans, 30% de plus. L'assureur justifie cet écart en disant que, si la femme mariée a trop facilement accès aux indemnités d'invalidité, elle ne sera guère tentée de retourner au travail puisqu'elle peut vivre aux dépens de son mari. Cela reflète le préjugé répandu selon lequel les femmes n'ont pas vraiment besoin de travailler ni d'être assurées puisqu'il y aura toujours des hommes pour s'occuper d'elles. Cela ne s'applique pas à la seconde épouse qui a besoin de travailler et qui marie souvent un homme plus âgé qu'elle qui ne sera vraisemblablement pas toujours là pour s'occuper d'elle ou de ses dépendants. Malgré cette discrimination grossière, si vous estimez que votre salaire est aussi indispensable que celui de votre mari au soutien de la famille — et beaucoup de secondes épouses vous diront qu'il l'est —, vous feriez bien de magasiner et de voir si vous pouvez trouver une assurance-invalidité raisonnable, juste au cas.

Les ménagères en sont évidemment exclues, parce qu'on estime qu'il est difficile, voire impossible, d'établir une base de revenu sur laquelle fonder les indemnités d'invalidité. Il est apparemment difficile de déterminer quand elle est invalide et quand elle peut retourner au travail. Peut-être pourrait-on utiliser comme base de calcul la durée et le coût de l'aide extérieure que la famille doit embaucher pour faire son travail. L'assurance-invalidité la plus commune garantit deux ans d'indemnités, qui sont ensuite révisées en fonction de l'aptitude de l'assuré à faire un autre travail. Voilà qui est également difficile à déterminer dans le cas de la ménagère, selon les assureurs.

Les pensions de retraite

On pense rarement aux pensions de retraite avant de toucher l'âge de la retraite, mais la seconde épouse ferait bien d'y penser beaucoup plus tôt, à cause de la présence de l'ex-épouse. De plus en plus, les tribunaux tiennent compte des allocations de retraite dans les jugements de divorce, afin notamment de renforcer la situation financière de l'épouse qui n'a pas travaillé hors de la maison et qui n'a donc droit à aucune prestation. De façon générale, on attribue à l'ex-épouse la moitié de la pension de retraite accumulée par le mari avant la séparation. Beaucoup d'avocats tenteront d'intégrer les allocations de retraite à l'entente de séparation. Même lorsque l'ex-épouse renonce aux bénéfices de retraite, les tribunaux refusent souvent d'entériner sa décision. Si le mari omet de verser la pension alimentaire ordonnée par le tribunal, tout ou partie de son fonds de retraite peut être attribué à son ex-épouse en guise de paiement.

Une ex-épouse a récemment tenté d'obtenir une saisie-arrêt de la partie de la pension de son mari acquittée par son ex-employeur. L'avocat de l'employeur a fait valoir que la saisie-arrêt ne pouvait s'appliquer qu'au salaire et que, puisque le mari n'était plus à l'emploi de la compagnie, sa pension ne pouvait tenir lieu de salaire. La femme a perdu sa cause. L'argument ne vaut cependant pas pour les allocations de retraite versées par l'État. L'épouse dispose de deux moyens pour s'approprier une part du fonds de retraite de son ex-mari. S'il n'est pas encore à la retraite et qu'il a accumulé un fonds privément ou par l'entremise d'une assurance collective, elle peut y avoir accès. S'il est retraité, elle peut saisir ses allocations, mais, comme on l'a vu, cela ne réussit pas toujours. En théorie, l'épouse divorcée ne peut pas saisir la pension du mari, mais il s'exerce des pressions pour changer la loi. On peut donc prévoir que la pension de retraite du mari sera bientôt accessible à l'ex-épouse même lorsqu'elle n'est pas incluse dans le jugement de divorce.

Cela peut entraîner des répercussions pour la seconde épouse, particulièrement celle qui épouse ou vit avec un homme déjà à la retraite ou sur le point de se retirer. Les gens âgés se contentent généralement d'un niveau de vie modeste, mais si vous et votre nouveau mari êtes réduits à vivre avec la moitié de sa pension tandis que son ex-épouse vit avec l'autre moitié, les fins de mois risquent d'être difficiles à boucler.

La situation ira en s'améliorant dans la mesure où de plus en plus de femmes travaillent et seront admissibles à la pension, mais, pour l'instant, le système favorise la première épouse, puisqu'elle a droit à une partie de la pension du fait qu'elle n'a pas travaillé à l'extérieur de la maison durant le mariage. La femme qui n'a pas travaillé à l'extérieur de la maison au cours d'un premier mariage n'a pas droit à la pension de son ex-mari si elle se remarie ou vit en concubinage. Le résultat, c'est qu'une femme vit de la moitié d'une pension tandis que le mari et sa nouvelle épouse vivent de l'autre moitié. L'homme qui prend sa retraite dans ces conditions ferait bien de s'assurer que sa deuxième épouse est assez jeune pour travailler.

La seconde épouse qui tient à protéger ses intérêts et ceux de ses dépendants doit être bien informée en ce qui concerne l'argent. Qu'elle pose des questions ne fait pas d'elle une mercenaire; cela montre au contraire qu'elle est pratique, intelligente et se soucie de sa situation financière et de celle de sa famille. Rappelez-vous que l'ignorance, en ce domaine, n'engendre pas forcément le bonheur et peut fort bien mener à la catastrophe.

CHAPITRE 10

La seconde épouse et le divorce

Si le mariage ne dure pas, pourquoi le divorce durerait-il?
Jean-Pierre Aumont.

Le divorce est un problème qui se manifeste de deux façons pour la deuxième épouse. D'abord, elle doit composer avec les circonstances du divorce de son mari (souvenez-vous que 84% des maris des secondes épouses échantillonnées avaient divorcé de leur première épouse). L'objectif du divorce, selon le tribunal, est de veiller à rétablir «l'état antérieur des parties». Mais n'importe quelle seconde épouse vous dira que tel en est rarement le résultat. Au contraire du mariage, le divorce peut littéralement durer toute la vie et même au-delà. Deuxièmement, la seconde épouse doit envisager la possibilité de son propre divorce. Depuis quelques années, le taux de divorce des seconds mariages est passé de 35% à 57%. Dans 33% des cas où le mari était antérieurement marié et l'épouse antérieurement célibataire, la rupture survient avant le cinquième anniversaire. Le taux de divorce tombe à 19% dans les cas où mari et épouse étaient tous deux antérieurement célibataires. Quarante pour cent des secondes épouses interrogées en vue de cet ouvrage disaient avoir envisagé sérieusement ou déjà entamé des procédures de divorce. Les raisons qu'elles invoquaient, pour la plupart, étaient liées à leur état de seconde épouse plutôt qu'aux conflits de personnalités ou d'objectifs qui conduisent souvent les ménages au divorce.

Mon mari et moi sommes en instance de divorce parce qu'il maintient toujours une liaison avec sa première épouse. Ce n'est pas la liaison elle-même qui me gêne mais le fait qu'il s'y croit autorisé du fait qu'ils étaient mariés.

J'ai envisagé sérieusement de divorcer parce que j'en avais assez d'être le deuxième violon par rapport aux enfants de mon mari. Ils me traitent comme une domestique et j'ai le sentiment qu'ils ont priorité sur moi dans sa vie.

J'ai envisagé de divorcer à cause de nos profondes divergences d'opinions à propos de mes deux enfants adolescents qui habitent avec nous. Il n'en veut pas, tandis que je ne cesse de lui répéter que je suis autant leur mère que son épouse.

Oui, nous sommes en instance de divorce. Je n'arrive pas à lui faire oublier sa première épouse. Je ne peux vivre avec eux deux, si vous comprenez ce que je veux dire. Elle est morte depuis quelques années, mais on dirait qu'il s'attend toujours à ce qu'elle arrive d'une minute à l'autre.

J'ai souvent pensé à divorcer. J'aimerais épouser un homme qui n'a jamais été marié et recommencer à zéro, sans tout les tracas de ses enfants, son ex et l'argent. Tout cela a détruit notre relation.

Oui, je pense parfois à divorcer, parce que, même si nous sommes mariés, le sentiment persiste toujours que je suis sa maîtresse et qu'elle est son épouse. Nous n'arrivons pas à le dissiper. C'est comme si nous n'étions pas vraiment mariés. Il n'y a pas de sentiment de permanence avec un homme divorcé, parce qu'il semble toujours susceptible de divorcer de nouveau. Vous vous faites une toute autre conception du mariage.

Faut-il s'étonner que les secondes épouses soient tellement intéressées au divorce? Les deuxièmes épouses qui étaient auparavant célibataires verront dans ce chapitre ce qui risque de leur arriver. Celles qui marient un homme divorcé verront ce qui lui est arrivé et comment cela risque d'influencer leur mariage.

Le divorce en perspective

Jusqu'à récemment, il était difficile, sinon impossible, de divorcer dans notre société. Les hommes qui divorçaient restaient marqués par un sentiment d'échec, et les femmes passaient pour coureuses. Les gens corrects évitaient le divorce, qui niait le fondement même de notre société, c'est-à-dire la famille.

Notre attitude à l'égard du divorce est passée par tous les avatars, depuis la répudiation unilatérale favorisée par les Romains jusqu'à l'immutabilité des conventions matrimoniales au temps de la Réforme. Le divorce était plus ou moins facile à obtenir selon l'époque et selon que l'Église ou l'État y mettaient le nez. Sous la férule de l'Église, l'état matrimonial était enveloppé d'une odeur de sainteté qui persiste encore dans certaines religions. Nous en gardons toujours quelque chose, notamment l'idée que le destin nous réserve à chacune le compagnon idéal. Ce n'est qu'à la fin du seizième siècle que le mariage est passé sous la juridiction de l'État et que le divorce est devenu possible, sinon facile. Et ce n'est qu'en 1857 que le divorce, en Angleterre (le droit civil canadien s'inspire largement du droit britannique), a pu se dispenser de la sanction du Parlement. On voit aisément pourquoi le divorce n'était pas une façon très populaire de régler les problèmes de ménage. C'est aussi vers cette époque (dans la seconde moitié du dix-neuvième siècle) que la notion de deux poids deux mesures pour le mari et l'épouse à propos des motifs de divorce a été inscrite dans la loi. La femme adultère ne pouvait réclamer de pension après le divorce et risquait plus souvent qu'autrement de perdre la garde de ses enfants au profit de son mari. L'homme qui divorçait d'avec son épouse pour cause d'adultère avait droit à une compensation de son amant. Plusieurs régimes interdisaient à l'adultère de se remarier pendant une certaine période ou de marier l'amant ou la maîtresse. D'où le concept de la «faute», qui persiste encore, qu'on le veuille ou non.

La faute suppose que l'un des époux est innocent et que l'autre est coupable. Jusqu'à tout récemment, seul l'innocent pouvait obtenir le divorce. La faute, par son esprit même, a entraîné la procédure de divorce contentieuse répandue aujourd'hui dans notre culture. Les deux parties s'opposent avec leur contingent d'avocats et de témoins en vue d'établir qui a raison et qui a tort, et qui, par conséquent, emportera le butin. Parce que les tribunaux n'ont généralement pas le temps d'entrer dans le détail de la relation et de déterminer les responsabilités réelles de façon à rendre un semblant de justice, ils présument que le mari est coupable. Après tout, s'il n'a pas su mettre de l'ordre dans son ménage, ou, pis encore, s'il a quitté la maison pour quelque raison que ce soit, qu'il en porte le blâme et qu'il en assume les conséquences. Nombre de maris trouvent la pilule difficile à avaler, et pour cause, surtout s'ils ne sont pas responsables de la rupture. Au cours de ma recherche, j'ai rencontré quantité de maris furieux qui se plaignaient d'avoir été abandonnés ou d'avoir été trompés, et d'avoir quand même été trouvés coupables du divorce. Ils croient avoir été victimes d'un système judiciaire injuste qui les a accablés de fardeaux financiers excessifs. Toutes ces plaintes ont amené le divorce par consentement mutuel, qui présume que personne n'est à blâmer et que la relation s'est simplement rompue comme cela peut arriver à toute relation. Il faut souhaiter que cette notion sera bientôt la plus courante et que la procédure de divorce sera, en conséquence, plus simple et plus équitable.

Dans l'intervalle, maris et épouses continueront de s'affronter et de se meurtrir devant les tribunaux dans l'espoir d'obtenir le jugement le plus favorable possible. C'est là que commencent les difficultés et non pas qu'elles prennent fin, comme nous le verrons.

La deuxième épouse et le divorce

Les tribunaux et le système judiciaire traitent toujours la question du divorce comme s'il s'agissait du dénouement d'une affaire. Ce n'est en fait qu'un simple changement d'orientation pour la plupart des gens. Les hommes se remarient et ont de nouvelles familles. Pourtant, plutôt que d'encourager les ex-époux à rompre toute relation, le système judiciaire les engage à maintenir un contact étroit à propos de la garde et de l'entretien des enfants ainsi que des affaires financières. En outre, le goût de vengeance attisé par la procédure contentieuse pousse le conjoint qui se croit victime à punir l'autre. Avec l'aide du tribunal, la partie offensée peut faire en sorte qu'elle restera présente dans la vie de l'ancien conjoint et de sa nouvelle famille.

Le divorce dans les années 80

L'attitude de la société à l'égard du divorce a considérablement changé depuis une vingtaine d'années. La divorcée a perdu son image de séductrice et de femme fatale. Elle est soudain devenue la victime et non plus la cause du divorce. Dans les années 80, on se demande comment il a bien pu «lui faire ça, à elle». La coureuse d'autrefois est devenue une pauvre mère tentant courageusement d'élever sa famille toute seule. Les lois du divorce et l'attitude de la société ont évolué. Il fut un temps où la loi du divorce favorisait l'homme d'une façon flagrante. Les enfants étaient considérés comme sa propriété, de même que tout le reste. Il pouvait divorcer de son épouse pour adultère, mais si c'est elle qui voulait divorcer, elle devait prouver un autre méfait, comme le viol, la sodomie ou l'abandon, en plus de l'adultère. Si elle réussissait, elle n'obtenait à peu près rien du ménage, quel que fût le nombre d'années qu'elle avait passées à travailler à la maison ou dans l'entreprise familiale.

Le système était manifestement très injuste à l'égard de l'épouse, et on s'est efforcé de l'amender. Les uns diront qu'on est allé trop loin, qu'on est passé d'une extrême à l'autre sans en mesurer toutes les conséquences. On a voulu corriger l'injustice faite aux femmes et on a fait des martyrs des ex-maris. Plutôt que de créer un système plus juste, on a échangé une victime pour l'autre.

Dans certains pays, comme la Grande-Bretagne, on cherche à amender la loi afin qu'elle reflète mieux la réalité, mais il faut lutter contre l'opinion publique. Ainsi, la notion de tort ou de faute, qui était tombée en défaveur au début des années 70, refait surface dans les causes de divorce.

Quand la Commission du droit publia son rapport sur «les répercussions financières du divorce» en 1980, elle fut inondée de lettres de divorcés qui estimaient que le règlement matériel devait tenir compte des infractions du conjoint fautif. L'un des correspondants était un directeur d'assurances de Wimbledon qui, rentrant un jour chez lui, avait trouvé son épouse au lit avec une bande de chanteurs «pop». À sa grande consternation, le jugement du divorce avait attribué à son épouse le tiers de son revenu, le tiers de son capital et le tiers de la valeur de la maison familiale, qui devait être vendue. «Comment, demandait le mari, la loi peut-elle accorder une pension à une femme de trente ans alors que c'était elle qui était infidèle?» Et la loi britannique est implacable à l'égard de l'ex-mari qui ne remplit pas ses obligations. Environ 2 000 hommes croupissent en ce moment dans des prisons britanniques pour n'avoir pas voulu ou n'avoir pu payer la pension alimentaire.

La Commission recommanda que les tribunaux tiennent compte de la conduite des conjoints dans les cas où il serait «inéquitable» de n'en pas tenir compte. La recommandation fait l'objet d'un projet de loi qui est maintenant devant le Parlement. Le projet de loi reconnaît l'égalité de l'époux et de l'épouse en supprimant le droit de l'épouse à la pension alimentaire après la rupture de ménage. Il est, à cet égard, de même inspiration que l'idée nord-américaine de pension de réhabilitation. Dans les deux cas, on encourage le soutien des enfants mineurs mais non pas de l'ex-épouse. Il va sans dire que le projet de loi, qui favorise évidemment les deuxièmes épouses, suscite une opposition considérable de la part des premières épouses et d'autres groupes intéressés. En fait, le «bon repas», comme on a surnommé le projet de loi, risque d'être fort impopulaire dans un pays où seulement 11% des officiers de cour de divorce estiment que la jeune femme divorcée et sans enfants au bout d'un court mariage ne devrait pas toucher de pension alimentaire.

Personne n'ignore que le taux de divorce est à la hausse et que les conditions du divorce changent. La tendance est liée à deux facteurs importants dans notre société. D'une part, l'agitation féministe a incité les tribunaux à accorder plus d'importance aux femmes et à leurs problèmes dans les causes de divorce, et, d'autre part, nous vivons plus longtemps. Vers l'an 2000, disent les experts, les gens se marieront trois fois au cours de leur vie. Nous sommes donc tous plus exposés au divorce. Les gens attendent davantage de leur relation, de nos jours. Le mariage n'est plus un refuge économique pour la femme ni un sanctuaire pour élever des enfants. Ce qui importe, c'est la qualité de relation.

Le système juridique encourage les femmes à «faire passer le mari à la caisse», voire à le ruiner dans certains cas. Les sociologues nous disent que le divorce et le remariage sont des phénomènes tout à fait normaux dus à l'accroissement de la longévité, et que, dans un proche avenir, la plupart des gens se marieront plus d'une fois. Les notions de divorce et de mariage sont un peu floues en ce moment et nos systèmes juridiques tentent désespérément de s'ajuster aux réalités nouvelles. C'est dans cet univers complexe et contradictoire que doit se situer la deuxième épouse des années 80.

Qui divorce et pourquoi?

Personne ne s'étonnera que le taux de divorce soit plus élevé chez ceux qui se sont mariés jeunes, surtout s'ils y ont été amenés par une grossesse inattendue. On ne s'étonnera pas non plus, considérant ce qui précède, que les femmes soient plus promptes que les hommes à réclamer le divorce. Les femmes inscrivent environ 66% des requêtes en divorce. Peut-être est-ce parce qu'elles ont moins à perdre financièrement et aussi parce que la personne qui entame la procédure de divorce risque moins d'être tenue responsable de la rupture. Beaucoup de maris laissent à leur épouse le soin de déposer la requête, par courtoisie. L'épouse est plus susceptible de demander le divorce si elle est une jeune mère avec des enfants en bas âge. Plus elle vieillit, moins elle est susceptible de le faire. Chez les vieux couples (de plus de cinquante ans), c'est habituellement le mari qui demande le divorce. Cela s'explique du fait qu'en vieillissant les femmes ont plus à perdre que le mari au divorce parce qu'elles ont moins de chances de se remarier et plus de mal à se reclasser sur le marché du travail. Les jeunes femmes ont plus de perspectives d'emploi que les femmes de plus de cinquante ans.

On invoque généralement trois motifs de divorce: la cruauté, l'adultère et l'absence de vie commune depuis au moins trois ans. Les deux premiers motifs sont invoqués dans 45% des divorces. Ils ne sont pas aussi populaires que le troisième, parce qu'ils sont plus difficiles à prouver et qu'ils impliquent une responsabilité directe. La séparation, qui suppose le consentement mutuel, est invoquée dans 40% des cas. Les motifs diffèrent selon que c'est le mari ou l'épouse qui réclame le divorce. Les hommes invoquent le plus souvent la séparation, les femmes la cruauté. L'âge est aussi un facteur: l'adultère est le motif le plus souvent invoqué contre les jeunes maris, et la séparation chez les gens âgés des deux sexes. Il faut dire que ce sont là les motifs objectifs admis par le tribunal et non pas ceux qui entraînent vraiment la rupture du mariage. Il est intéressant de noter que seulement 58% des femmes qui attribuent la rupture de leur mariage à l'adultère l'ont invoqué comme motif du divorce.

Puisque la séparation est le motif de divorce le plus fréquent, la seconde épouse est susceptible de rencontrer son futur mari au moment où il n'est que séparé de son épouse. Elle partagera donc vraisemblablement toutes les angoisses et tous les conflits qui accompagnent la procédure de divorce. Si elle est informée, elle pourra aider son futur mari à voir clair durant cette période de grand stress et peut-être à prendre des décisions dans le meilleur intérêt de leur vie future plutôt que de trop concéder à l'ex-épouse pour «en finir» le plus vite possible.

Il est donc crucial que la seconde épouse comprenne la procédure de divorce et ce qu'elle implique.

La procédure de divorce

Qu'est-ce que la procédure contentieuse?

Comme nous l'avons mentionné plus haut, la procédure contentieuse est aujourd'hui la plus courante dans les causes de divorce. Chacune des deux parties, avec l'aide d'un contingent d'avocats, cherche à avoir le meilleur sur l'autre. Cette procédure, qui rappelle les combats de gladiateurs, est en bonne partie responsable de l'amertume qu'engendre le divorce et qui persiste ensuite durant des années, compromettant toute nouvelle relation et traumatisant les enfants.

Pour beaucoup d'entre nous, le divorce sera la seule occasion de contact avec la justice. Nous sommes plus susceptibles d'aller en cour pour une question de divorce que pour tout autre motif, à l'exception peut-être d'infractions aux lois de la circulation. De toutes les procédures judiciaires, seules les causes de divorce ont cette particularité qu'elles donnent lieu à l'étalage de sentiments intimes. Le litige est rarement tranché d'une façon définitive, surtout chez les couples avec enfants, parce qu'ils maintiendront les contacts pendant des années et que les anciennes blessures seront constamment rouvertes. Comme nous l'avons dit, l'action en divorce établit traditionnellement des torts. L'une des parties est récompensée et l'autre est punie. L'affaire se complique du fait que l'une des parties souhaite en général le divorce plus que l'autre, et qu'il faut donc compenser un sentiment de rejet.

D'une situation aussi contentieuse, il est difficile de dégager un compromis favorisant l'entente et la communication. À l'origine, l'épouse ne veut peut-être pas vraiment la télé et le stéréo que le mari est prêt à lui laisser, mais, une fois que les avocats des deux parties s'en sont mêlés, elle réclame l'un et l'autre, et le mari lui refuse les deux. Bien des couples disent qu'ils avaient commencé à se partager le ménage à l'amiable mais que, la procédure judiciaire amorcée, ils n'ont pas tardé à se sauter mutuellement à la gorge. Considérant que les avocats sont entraînés à la contestation et plutôt mal préparés à traiter les prolèmes domestiques, faut-il s'étonner que la procédure que nous employons pour dissoudre le mariage finisse par faire des ennemis de gens qui hier s'aimaient? «La procédure contentieuse rate la cible en matière de relations domestiques, dit le médiateur familial Howard Irving. Elle n'offre que le couteau pour trancher le nœud nuptial. Elle approfondit, à chacune de ses étapes, les blessures du couple, et rend la conciliation virtuellement impossible.»

La femme qui épouse un divorcé aura à composer sans doute pendant longtemps avec les conséquences de ce combat de coqs. Elle marie un homme meurtri qui, grâce aux tribunaux, à la société et à son ex-épouse, porte la culpabilité du désastre. N'allez pas penser que les avocats de sa première épouse n'auront pas exploité à fond ce sentiment de culpabilité pour obtenir le jugement le plus favorable à leur cliente. C'est leur fonction. Les femmes divorcées n'ont habituellement pas les mêmes problèmes, parce qu'elles ne sont pas le principal soutien de la famille et qu'elles ont donc plus de chances de s'en sortir indemnes émotivement et financièrement. Elles ont aussi l'avantage de passer pour d'innocentes victimes.

La procédure

L'action en divorce commence souvent par une entente de séparation, contrat écrit par lequel le couple s'engage à vivre séparément. L'entente doit être volontaire, sinon elle est invalide. La deuxième épouse ferait bien de s'informer de ce que contient l'entente de séparation de son futur mari avant de l'épouser. Elle aura ainsi une bonne idée de ce que sera leur situation financière.

L'entente établit d'ordinaire ce que le mari versera à son épouse et à ses enfants, et de quelle manière. Les paiements peuvent être échelonnés sur un certain nombre d'années ou être effectués d'un seul coup, et ils peuvent cesser si la femme se remarie ou lorsque les enfants atteignent un certain âge. Beaucoup de maris conviendront spontanément de verser un certain montant chaque mois sans penser à ce que cela implique pour l'avenir. D'abord, la durée. La femme qui ne se remarie pas ou qui marie un homme qui n'a pas les moyens de la faire vivre dans le style auquel elle était habituée peut littéralement toucher la pension pour le reste de sa vie. Même après le décès du mari, elle aura droit de tirer des paiements de la succession.

Cela semble raisonnable, mais les implications pour la seconde épouse sont considérables, comme l'a fait voir un jugement récent de la Cour suprême de l'Ontario. Le tribunal a ordonné à une deuxième épouse de verser à la première une pension de 1 300 dollars par mois. La deuxième épouse avait quarante et un ans, et la première, cinquante-trois. Le mari venait de mourir, léguant tous ses biens à sa deuxième épouse et un certain montant d'argent à ses deux enfants du premier lit. La première épouse demandait que la succession, qui comprenait la maison du couple, un compte en banque conjoint et certaines assurances, continue de lui verser une pension. Le tribunal non seulement lui a donné raison, mais il a décidé de hausser la pension alimentaire, qui n'était que de 800 dollars par mois du vivant du mari. La deuxième épouse ferait bien de conseiller au mari de tenter de limiter la durée de la pension, ou, au moins, de veiller à ce qu'elle cesse à son décès.

Outre la durée des paiements, il faut faire attention au montant. La plupart des épouses, ou plutôt de leurs avocats, insistent sur une clause de variation leur permettant de retourner devant le tribunal pour réclamer plus d'argent si la situation financière du mari change (par suite de hausses de salaires, d'héritages, etc.). Un autre jugement récent de la Cour suprême de l'Ontario ordonnait à un médecin de verser à son ex-épouse une somme de 15 000 dollars et d'ajouter 350 dollars à la pension alimentaire ainsi que 250 dollars par mois aux allocations des enfants. Le juge annexait aussi à l'entente de séparation une clause d'indexation au coût de la vie. Il estimait que le médecin était devenu beaucoup plus prospère à la suite du divorce et qu'il devait par conséquence verser davantage à sa première épouse. La situation du médecin s'était effectivement améliorée parce qu'il avait ouvert une clinique avec sa deuxième épouse, qui était aussi médecin.

La clause de variation peut évidemment jouer dans les deux sens et elle n'est pas toujours liée aux hausses de revenu du mari. En 1974, par exemple, un dentiste et son épouse ont divorcé, et il a accepté de lui verser 400 dollars par mois. Au cours de l'année, elle a touché la première partie d'un héritage (15 000 $), et elle a obtenu le reste (plus de 500 000 $) en 1976. Le mari a cessé de lui verser une pension, mais il a pris en charge leurs quatre enfants. En l'espace de quelques années, la femme a dilapidé toute sa fortune et s'est retrouvée à la merci de l'assistance publique. Elle est retournée devant le tribunal, qui a ordonné au mari de recommencer à lui verser une pension de 500 dollars par mois.

L'idée qu'il faut retenir ici, c'est que dès que le mari consent à verser une pension, ne serait-ce que un dollar par année, la femme peut toujours retourner devant la cour et obtenir une «augmentation». Voilà pourquoi le mari préfère souvent verser un montant forfaitaire au moment du divorce et se libérer pour toujours. Hélas! bien peu peuvent se le permettre. En théorie, les clauses de variation jouent dans les deux sens (c'est-à-dire que le mari peut aussi aller devant le tribunal, s'il est en difficulté financière, et réclamer une diminution de la pension). La cour n'accorde cependant presque jamais de diminution de pension. Elle peut même empêcher le mari de détériorer sa situation financière, par exemple en prenant un emploi moins bien rémunéré qui lui plairait davantage. En Californie, un ingénieur qui voulait changer d'orientation et acheter une ferme a été empêché de le faire. La cour a statué que la pension qu'il versait à son épouse était fondée sur son potentiel de revenu d'ingénieur et que le montant de la pension resterait le même s'il diminuait son revenu en changeant de métier. Il a dû garder son poste d'ingénieur. Le tribunal force donc les hommes à maintenir leur niveau de revenu et à ne pas gaspiller leur argent, mais il est plus indulgent pour les ex-épouses.

Outre les dispositions financières, l'entente de séparation contient des renseignements sur le soutien et la garde des enfants. Les enfants touchent ordinairement (mais pas toujours) des allocations fixes jusqu'à un âge convenu. C'est en général l'âge de la majorité, quoique l'entente puisse stipuler que les allocations se prolongeront jusqu'à ce qu'ils quittent l'école ou la maison. L'entente précise aussi les droits de visite et de garde. Il importe que ceux-ci soient clairement définis, surtout si les époux sont à couteaux tirés et ont tendance à utiliser les enfants comme instruments de chantage. Si les droits de visite sont clairement établis, personne ne pourra dire: «Donne-moi plus d'argent ou tu ne verras plus les enfants.» La deuxième épouse, surtout si elle travaille, a aussi intérêt à savoir exactement quand et pendant combien de temps elle devra s'occuper des enfants.

La garde est habituellement attribuée à la mère, simplement parce qu'on estime qu'elle est plus apte à veiller à leurs besoins. Cette attitude, fondée sur la présomption d'instinct maternel, se reflète dans nos institutions juridiques et sociales. Le droit non écrit de la mère inspire généralement sa réclamation dans les causes de garde des enfants. Les coutumes, à cet égard, sont si bien enracinées qu'il existe un principe de droit commun (le principe de l'âge tendre) qui dicte de confier à leur mère naturelle les enfants de moins de sept ans. Ce n'est que depuis quelques années que le père peut prétendre à la garde des enfants. Les lois du début du dix-neuvième siècle, au contraire, faisaient du père le gardien légal de tous les enfants issus du mariage, quel que soit leur âge. Cela ne vaut plus qu'à moitié. Le père est encore obligé de pourvoir aux besoins des enfants, mais c'est la mère qui en a la garde. Seulement un sur sept des pères qui réclament la garde des enfants l'obtient, et cette proportion n'a pas changé depuis dix ans.

La notion de faute semble être un facteur dans l'attribution de la garde des enfants. Les pères qui sont demandeurs, dans les causes de divorce, ont moins de chances d'obtenir la garde des enfants que ceux qui sont défendeurs. Les personnes les plus susceptibles d'obtenir la garde des enfants sont les mères demanderesses. Les pères plus âgés ont plus de chances que les plus jeunes. Les statistiques démontrent qu'invariablement tous les enfants vont au même parent.

La question de la garde des enfants est importante pour la seconde épouse, car elle peut vivre avec un mari qui paie pour les enfants qu'il voit rarement. Quelquefois, il arrive qu'il renonce à les voir parce que ça devient trop difficile, et elle s'en croit coupable d'une certaine façon. Elle doit aussi composer avec la culpabilité que ressent son mari pour avoir abandonné ses enfants et avec les dépenses que la situation occasionne. La présence des enfants chez leur mère entraîne aussi de fréquents contacts du mari avec son ex-épouse. Bref, la question de la garde des enfants implique toutes sortes de problèmes pour le ménage.

Enfin, l'entente de séparation contient fréquemment des dispositions concernant l'assurance-vie, le règlement des dettes, le partage des biens et toute autre question que le couple en instance de divorce juge pertinente. L'entente peut faciliter la procédure de divorce en disposant de tous les problèmes majeurs avant que l'action soit instruite devant le tribunal. C'est plus expéditif et moins coûteux que de se bagarrer devant le juge. Le juge examinera soigneusement l'entente avant de passer son jugement. La seconde épouse a donc intérêt à ce qu'elle soit négociée avec lucidité et en pensant à l'avenir, parce qu'elle et son mari auront à en subir longtemps les conséquences. Souvenez-vous que l'entente de séparation est comme tout autre contrat et s'appliquera de la même façon. S'il y a défaut de paiement, la première épouse peut passer par le tribunal pour confisquer les biens, saisir le salaire, voire envoyer son ex-mari en prison. Un homme de Toronto a été emprisonné parce qu'il ne pouvait pas payer à son ex-épouse les 1 800 $ d'arrérages qu'il lui devait sur sa pension alimentaire. Le tribunal a ordonné une saisie-arrêt de 644 $ par mois sur son salaire (qui s'établissait à 2 200 $ par mois avant impôt) pour couvrir les arrérages. Sa concubine n'a pu réunir les 1 800 $ requis pour le faire sortir de prison et elle a dû emprunter une somme presque équivalente de ses amis et de sa famille pour acquitter les frais d'avocats et de huissier. En plus, il a perdu 1 500 $ en salaire durant son emprisonnement. Sa concubine dit qu'ils ne peuvent pas payer la pension et qu'ils sont cousus de dettes.

Le partage des biens

Idéalement, le couple qui divorce devrait partager moitié-moitié les biens acquis au cours du mariage, de manière à ce que chacun profite également des efforts déployés durant la vie commune. En pratique, cependant, les choses ne se passent pas ainsi, même dans les États américains dits à communauté de biens. Comme en toute autre matière de divorce, les parties sont à la merci du tribunal.

Le partage des biens est en vérité l'une des questions les plus difficiles à régler dans les causes de divorce. Par «biens», nous entendons tous les biens acquis au cours du mariage: maison, terrain, argent, valeurs mobilières, meubles, bijoux, et tout autre bien qui, théoriquement, pourrait être liquidé.

La question de propriété à l'intérieur du mariage est soumise à divers cadres juridiques. Le plus connu et le plus fréquemment cité est peut-être celui des États à communauté de biens, dont les noms suivent:

Arizona	Louisiane	Porto Rico
Californie	Nevada	Texas
Idaho	Nouveau-Mexique	Washington

Dans ces États, tous les biens acquis au cours du mariage, quel que soit le nom auquel ils sont inscrits, y compris tous les comptes de banque ouverts, sont réputés appartenir au mari et à l'épouse. Les cadeaux et les héritages font généralement exception. Cela semble simple. Mais, dans la pratique, l'estimation que l'un fait de la valeur des biens du mariage est souvent complètement différente de celle que fait l'autre. Dans bien des cas, les conjoints n'arrivent pas à s'entendre sur ce qui a été acquis au cours du mariage ou avant.

Le calcul de la valeur du rendement sur les capitaux investis et des améliorations à la propriété pose des problèmes insolubles pour les avocats et les comptables, qui cherchent à établir quelle partie de la valeur ajoutée est attribuable aux efforts du mari et de l'épouse, avant et pendant le mariage. À cause de ces difficultés, les couples ne partagent pas vraiment moitié-moitié. Le plus vraisemblable, c'est que chacun touchera une part équitable. Si une femme sans le sou marie un richard, elle n'aura pas automatiquement droit à la moitié des biens acquis au cours du mariage, parce qu'elle n'y aura pas contribué au même degré que son mari.

Il est évident que la tendance de la législation va dans le sens de la communauté de biens. Pour l'instant, toutefois, la plupart des États américains maintiennent le régime matrimonial de séparation de biens et de partage équitable. Ce sont les États suivants:

Alabama	Kansas	New York
Alaska	Kentucky	Caroline du Nord
Arkansas	Maine	Dakota du Nord
Colorado	Maryland	Ohio
Connecticut	Massachusetts	Oklahoma
Delaware	Michigan	Oregon
District de Columbia	Minnesota	Rhode Island
Georgie	Missouri	Caroline du Sud
Hawaï	Montana	Dakota du Sud
Illinois	Nebraska	Utah
Indiana	New Hampshire	Vermont
Iowa	New Jersey	Wisconsin
		Wyoming

Dans ce régime, le partage des biens touche tous les biens du mari et de l'épouse acquis avant ou pendant le mariage, y compris les cadeaux et les héritages, quel que soit le nom auquel ces biens sont inscrits. Au moment du divorce, les biens sont partagés équitablement, à la discrétion du juge. Une épouse avec de jeunes enfants peut se voir attribuer 80% des biens du ménage si ces biens incluent la maison (bien principal de la plupart des couples). Les biens inscrits au nom de l'épouse peuvent aussi être rendus au mari si le juge l'ordonne. Dans ces États, la notion de faute influence souvent le tribunal en faveur de l'un ou l'autre des conjoints.

Certains États, comme la Floride, le Mississippi, la Pennsylvanie, le Tennessee, la Virginie et la Virginie-Occidentale, ont un régime de séparation de biens selon le titre. Là, le juge n'a même pas à faire semblant de partager les biens équitablement. Le mariage n'y est pas considéré comme une association économique. Les biens appartiennent au conjoint au nom duquel ils sont inscrits. L'autre n'y a pas droit. Par conséquent, les maris qui passent leurs biens au nom de leur épouse pour une raison ou pour une autre risquent d'avoir des surprises le jour du divorce.

Si l'on vit dans l'un de ces États, on peut toujours échapper à la loi en inscrivant son action en divorce dans un État dont le régime nous est plus favorable. Il suffit d'y établir domicile et d'attendre un certain temps.

Au Canada, la notion de séparation de biens (c'est-à-dire que les biens appartiennent à celui au nom duquel ils sont inscrits et qu'il peut en disposer comme il veut) est souvent mitigée par la notion d'«intention» des parties en cas de dispute. Par exemple, les biens acquis par l'un ou l'autre des conjoints, mais servant généralement à l'usage du couple au cours du mariage (la maison, l'auto), sont considérés comme des biens de famille. Les biens de famille peuvent avoir été achetés avant ou pendant le mariage. Il faut comprendre que «bien de famille» n'implique pas «propriété conjointe». La séparation de biens persiste toujours, mais, en cas de divorce, chacun des époux peut se voir attribuer une partie des biens de la famille, indépendamment du titre de propriété. Seuls les biens de la famille inventoriés au moment de la séparation sont sujets au partage. Il est intéressant de noter que, tandis que les biens de la famille sont sujets au partage, les dettes de la famille ne le sont pas. Elles continuent d'appartenir à qui les a contractées. Encore une fois, le partage idéal serait moitié-moitié, mais il est laissé à la discrétion du juge qui a mission de partager équitablement.

Pension alimentaire et allocation de subsistance

La plupart des gens confondent ces termes. En théorie, l'épouse n'a droit à la pension alimentaire que durant la période qui précède le divorce. La pension provisoire la remplace après que l'action en divorce est inscrite, et elle peut-être accordée à l'un ou l'autre des conjoints. Les paiements effectués à l'épouse après le divorce sont des allocations de subsistance.

La pension alimentaire n'est accordée que lorsqu'il est prouvé que le couple vit séparément et que le mari s'est rendu coupable d'adultère, de cruauté ou d'abandon. Elle est purement fondée sur le besoin et n'a rien à voir avec le mérite de la cause. Le mari ne gagnera rien à prétendre qu'il a laissé son épouse parce qu'elle était infidèle ou alcoolique. Il pourra invoquer ces arguments au procès, mais, avant le procès, le tribunal se soucie uniquement des besoins matériels de l'épouse et ne cherche pas à départager les torts. L'épouse a tout intérêt à réclamer une pension alimentaire provisoire. Elle n'aura pas de mal à l'obtenir si elle peut en démontrer le besoin (ce qui n'est pas difficile), et le mari n'y peut rien. C'est une bonne tactique de la part de l'épouse, parce que le montant de la pension provisoire semble influencer le montant de la pension définitive. L'ordonnance de pension peut être modifiée par le tribunal. En règle générale, si le jugement du divorce ne fait pas mention d'allocations de subsistance, le mari n'y sera guère tenu, même s'il a versé jusque-là une pension alimentaire. L'acte de dissolution du mariage met fin à l'ordonnance de pension.

Plutôt que de laisser à un juge le soin de fixer le montant de la pension ou des allocations de subsistance, les couples concluent souvent une entente à l'amiable. C'est moins coûteux, plus rapide et généralement plus près de ce que souhaitent l'un et l'autre. On dit qu'un bon règlement ne satisfait aucune des parties. En bonne logique, l'épouse a intérêt à accepter un règlement pour ce que son mari peut raisonnablement lui donner (et sera donc disposé à lui donner), plutôt que de chercher à lui extraire jusqu'au dernier sou et devoir retourner constamment devant le tribunal pour en obtenir le paiement. La somme est habituellement laissée à la discrétion de la cour et tient compte de la condition de chacune des parties. Elle est ordinairement fixée au tiers du revenu brut du mari, mais elle peut osciller entre le cinquième et la moitié de son revenu, selon le cas. Certains juges exagèrent, évidemment. À Ottawa, récemment, un juge du tribunal de la famille a ordonné au mari de verser 1 800 $ par mois à sa femme et à ses deux enfants, ce qui ne lui laissait que quatorze dollars par semaine pour vivre. Le défendeur est allé en appel et il a obtenu que l'allocation soit réduite à 800 $ par mois.

Quel que soit le montant, le principe qu'on applique est que l'épouse qui n'a jamais travaillé et qui ne possède aucun bien a droit au même niveau de vie qu'elle avait durant son mariage. Le principe contraire, selon lequel le mari a aussi droit au même niveau de vie, ne vaut cependant pas.

Les demandes de soutien

L'intention du législateur, c'est que les époux se soutiennent mutuellement et que chacun s'efforce de subvenir à ses propres besoins. Dans la majorité des cas, cependant, le mari soutient encore l'épouse, et le tribunal tient compte de cette réalité au moment du divorce. Le nombre de femmes touchant une pension alimentaire a augmenté de 600 000 depuis seulement trois ans, aux États-Unis. Malgré ce qu'on prétend, les maris ne manquent pas tous à leurs obligations. Des 9,9 milliards de dollars dus en allocations de subsistance, 6,1 milliards ont été payés. Près des deux tiers des divorcés honorent leurs obligations malgré leurs difficultés financières.

La situation de dépendance des femmes à l'égard de leur ex-mari est en train de changer, évidemment. À mesure que les femmes s'intègrent au marché du travail et font carrière, les tribunaux hésitent de plus en plus à ordonner le paiement d'allocations de subsistance aux femmes divorcées. On aurait cependant tort de présumer que, parce qu'une femme travaille, on lui refusera la pension alimentaire.

Les considérants

Le tribunal tient compte de plusieurs facteurs avant de juger d'une demande de soutien, notamment la santé, la situation financière, l'âge et l'aptitude des parties à subvenir à leurs besoins, ainsi que la durée du mariage et l'obligation de pourvoir aux besoins d'un tiers. Il arrive aujourd'hui qu'on reconnaisse les efforts investis par l'épouse dans ses tâches de mère et de ménagère. Dans vingt-deux États, la loi commande au juge d'en tenir compte dans sa décision. Une valeur monétaire est attachée à la contribution de l'épouse au cours du mariage. Les estimations varient de 6 000 $ à 18 000 $ par année. Suivant ce principe, l'épouse touchera une pension d'autant plus élevée qu'elle aura été mariée longtemps.

La faute peut être l'un des facteurs que considérera le juge dans sa décision. Dans plusieurs États, l'inconduite ou l'adultère ne sont pas des facteurs déterminants. Mais en Georgie, dans les deux Carolines, en Virginie-Occidentale et dans l'État de New York, l'adultère annule automatiquement le droit à la pension. (Dans l'État de New York, la loi est sur le point d'être révisée et l'adultère ne sera plus un facteur déterminant.) Quelques États poussent la notion de faute un peu plus loin: le tribunal peut invoquer le fait que l'épouse était hargneuse ou tenait mal la maison pour lui refuser ou réduire la pension. Ailleurs, comme en Arizona, au Delaware et en Hawaï, le juge peut réduire la pension s'il estime que l'épouse gérait mal le budget familial. Mais, dans l'ensemble, le tribunal hésite à reconnaître que l'épouse a des torts, et bien des divorcés (et leur seconde épouse) trouvent cette attitude extrêmement injuste.

S'il est difficile de prouver l'inconduite de l'épouse au cours du mariage pour obtenir une réduction de la pension, il l'est encore plus après le mariage. On a vu des cas récents où le tribunal a ordonné que la pension alimentaire soit maintenue même si l'ex-épouse habitait avec un autre homme ou était remariée. Dans le passé, la plupart des accords de séparation contenaient une clause *dum caste* stipulant que les paiements ne seraient maintenus que si l'épouse restait chaste. Jugée injuste parce qu'elle pouvait empêcher l'épouse d'établir de nouvelles relations, la disposition est tombée en défaveur. Il en est résulté, hélas, une autre forme d'injustice, qu'illustre bien le cas de cet homme de la région de Toronto à qui le tribunal a ordonné de verser 80 $ par semaine à son ex-épouse malgré la relation de celle-ci avec un autre homme. Le juge a aussi ordonné au mari de verser 100 $ par semaine pour le soutien de ses enfants, confiés à la garde de son épouse. Le tribunal a jugé que l'ex-épouse avait droit à la pension alimentaire parce que son nouvel ami n'était pas en mesure de la faire vivre. Cette femme vient de rentrer d'un voyage de trois semaines en Europe en compagnie de son amant.

La cohabitation n'est pas toujours en cause. Lorsque la cour dit que l'inconduite n'a rien à voir avec la pension alimentaire, elle le pense vraiment, comme en témoigne le cas d'une femme de l'Illinois, psychologue de profession, trouvée coupable d'avoir conspiré pour tuer son mari. Elle a reconnu avoir engagé deux truands pour se débarrasser de son mari, mais ils en ont fait part au mari, qui a prévenu la police. Elle a purgé deux ans d'une sentence de six ans d'emprisonnement. À sa libération, elle a divorcé et s'est vu attribuer la moitié des biens de son mari, environ 300 000 $. Son procureur a fait valoir que l'inconduite n'infirmait nullement son droit à la pension alimentaire et à sa part des biens du ménage.

Doute-t-on que l'ordonnance de soutien comporte un caractère punitif? Pensons à cet homme de Toronto tenu de verser, pour le soutien de ses enfants, 27 500 $ à son ex-épouse, remariée à un voleur de banque le jour même où le criminel était condamné à cinq ans de prison. Elle a déménagé avec ses enfants près du pénitencier de manière à se rapprocher de son nouveau mari. Le juge a reconnu que sa décision dépouillait l'ex-mari de tout son capital. La femme touchera en outre 32 000 $ provenant de la vente de la maison familiale.

Qu'est-ce que le soutien financier?

Selon l'ordonnance de la cour, le soutien financier peut prendre la forme de versements périodiques, de paiements forfaitaires, de dépôt en fiducie à l'intention du dépendant, ou d'une combinaison des trois. La cour peut ordonner le transfert de biens meubles, comme la maison familiale, qui est habituellement attribuée à l'épouse, surtout si le couple a des enfants. Il est arrivé que le tribunal attribue à l'ex-épouse l'avion de son ex-mari pilote. Elle ne savait pas piloter, et l'ex-mari, qui n'avait plus le droit de faire usage de l'avion, a dû payer pour l'entreposage. Le tribunal peut faire remonter le début des paiements à une date antérieure au divorce et exiger le remboursement des frais de soins prénatals et d'accouchement. Il peut exiger que l'ex-épouse soit inscrite comme bénéficiaire irrévocable d'une assurance-vie et d'une assurance-maladie. Les allocations de retraite peuvent aussi être incluses dans les paiements de soutien. La cour peut ordonner la continuation des paiements après le décès du défendeur et leur garantie en cas de faillite. Dans le premier cas, les paiements ne seront pas versés pendant plus de douze mois après le décès du défendeur.

L'ordonnance du tribunal peut être permanente ou provisoire jusqu'à ce que la cause ait été entendue et qu'on ait disposé des biens. Le juge peut empêcher le défendeur de dilapider ou de liquider ses biens de façon à déjouer la revendication ou l'ordonnance de paiement. Le contrat domestique ou l'entente de séparation ne lie pas nécessairement le tribunal. Le juge rendra la décision que semblent lui dicter les circonstances, même si le contrat comporte une renonciation de soutien.

La deuxième épouse et le soutien

Ces règles s'appliquent en principe à *toutes* les épouses, mais il va de soi que le divorcé qui paie déjà une pension et qui a perdu possession de la maison familiale au profit de sa première épouse en aura moins pour subvenir aux besoins de la seconde. Ainsi, non seulement les secondes épouses doivent-elles s'attendre à vivre moins bien que les premières durant leur mariage, mais elles risquent également d'avoir un divorce moins avantageux. Soixante-dix pour cent des secondes épouses échantillonnées croyaient qu'elles seraient moins favorisées que les premières en cas de divorce. Seulement 13% croyaient qu'elles s'en tireraient mieux que les premières. Voilà qui contredit le mythe selon lequel les secondes épouses sont des aventurières qui disparaîtront dès qu'elles auront mis la main sur le magot.

Le divorce ne se réglerait certainement pas de la même façon. Elle a tout pris, même ses vêtements, et ne lui a laissé que des dettes. Je partagerais les biens que nous avons acquis au cours du mariage, je prendrais ce qui m'appartenait avant et je partirais en douce.

Le revenu de mon mari ne lui permettrait pas de payer une pension à deux femmes. Alors, je suppose que je devrais m'arranger seule.

C'est sûr que le divorce ne se réglerait pas de la même façon. Mon mari a déjà du mal à joindre les deux bouts. Il ne pourrait certainement pas nous soutenir toutes les deux.

Je ne lui réclamerais sûrement pas de pension et je ne lui demanderais pas de régler mes problèmes. Pour moi, ça s'arrêterait au divorce et je voudrais que la rupture soit complète.

Je ne voudrais pas que ça se règle de la même façon. Bien qu'elle soit indépendante et sans enfants, elle insiste pour qu'il lui verse une pension substantielle et il la paie parce qu'il prend ses obligations à cœur. Si je le laissais, je ne voudrais pas de lui ni de son argent. Comment peut-on commencer une nouvelle vie lorsqu'on est soutenue par son ex-mari?

Il est évident que ce serait différent. Mon mari ne répéterait pas la même bêtise. Il a eu sa leçon avec sa première épouse.

La seule chose qui changerait, c'est que je ne réclamerais rien. Il m'a demandé s'il pourrait avoir la garde des enfants en cas de divorce. Sa première épouse a obtenu la garde de leurs enfants et il ne pourrait souffrir de perdre ses enfants une deuxième fois.

Peut-être ces femmes sont-elles mieux en mesure d'apprécier les conséquences d'un divorce parce qu'elles en ont déjà fait l'expérience. Les secondes épouses échantillonnées pour ce livre disent toutes qu'elles seraient moins exigeantes en cas de divorce, et même qu'elles ne réclameraient que pour leurs enfants et rien pour elles-mêmes. La plupart se rendent compte que leur mari serait incapable de payer une seconde pension et s'y résignent. Elles ont vu, disent-elles, combien les premières épouses se sont montrées injustes et elles sont résolues à ne pas les imiter. Elles paraissent aussi plus compréhensives à propos des droits de visite et de la garde des enfants.

Quoi de neuf en matière de divorce?

La médiation

Puisque de nos jours, les conflits et les bris de ménage paraissent faire partie intégrante de la vie de famille (plus d'un million et demi de mariages sont dissouts chaque année en Amérique du Nord), on prend de plus en plus conscience des mérites de la médiation en matière de divorce. Essentiellement, il s'agit de recourir à un tiers (habituellement un travailleur social compétent ou un médiateur professionnel) pour résoudre les difficultés du ménage plutôt que de soumettre l'affaire aux règles strictes de la loi. La médiation peut atténuer les troubles émotifs qu'entraîne la rupture du mariage.

La médiation n'oppose jamais une personne à une autre. Le but est d'amener le couple à formuler des compromis acceptables aux deux parties. Les règlements volontaires auxquels on arrive par consentement mutuel sont non seulement plus humains que les règlements de cour, mais ils sont plus pratiques. Les recherches menées au Canada et aux États-Unis révèlent un fort taux d'entente (de 75% à 80%) subséquente à la médiation entre maris et épouses en instance de divorce. Lorsqu'il y a entente, ni l'une ni l'autre des parties ne crie victoire et personne n'est réputé avoir tort. L'élimination du facteur de blâme atténue le désir de vengeance et la nécessité de longues batailles judiciaires. N'ayant plus le sentiment d'avoir été manipulé, le mari est moins sujet à faire défaut à ses obligations et son ex-épouse n'aura pas à le pourchasser par l'entremise du système judiciaire, comme il arrive encore dans plus de la moitié des cas. La deuxième épouse trouvera aussi son profit à vivre avec un mari qui n'a pas été échaudé par notre système judiciaire conflictuel.

La médiation a le mérite de traiter la famille comme une entité. Elle ne considère pas les enfants comme des biens que peuvent se disputer inlassablement des adultes rancuniers. Elle permet aux parents, au-delà du conflit qui les sépare, de décider du sort d'enfants qu'ils connaissent et qu'ils aiment, plutôt que de laisser en décider un juge qui, ne connaissant aucun des membres de la famille, doit presque entièrement fonder sa décision sur l'information négative qu'il a recueillie sur les parents au cours de l'audition de la cause (les enfants allant en général au parent contre lequel la preuve est la moins accablante). Elle permet aussi aux enfants d'indiquer leur préférence et ne les incite pas forcément à aller tous chez le même parent.

Il s'agit, essentiellement, de dissoudre le mariage sans anéantir la famille. La médiation n'est pas punitive et coûte moins cher que la voie légale. Une très faible proportion des causes de divorce vont jusqu'au litige (près de 90% se règlent hors cour), mais il ne faut pas en conclure qu'elles se règlent facilement en vertu du système conflictuel. Beaucoup de règlements hors cour impliquent des années de déclarations assermentées, de lettres, d'appels téléphoniques et de consultations. Quand on sait que les honoraires des avocats varient entre 50 $ et 100 $ l'heure, on ne s'étonne pas que des familles soient menées au bord de la ruine par les frais de divorce. Les parties qui vont devant le tribunal peuvent s'attendre à dépenser chacune de 800 $ à 1 000 $ par jour. Si on ajoute à cela le fait que les hommes se font en général coller les honoraires d'avocat de leur épouse, on comprend qu'ils se rendent souvent à des demandes exorbitantes pour obtenir un règlement le plus vite possible et éviter la catastrophe financière. Les honoraires du médiateur sont beaucoup plus modestes (on estime que la voie conflictuelle coûte quatre fois plus cher que la médiation) et il suffit en moyenne de six sessions pour en arriver à une entente. On voit pourquoi la médiation est de plus en plus populaire. S'ils y avaient davantage recours, estime-t-on, les Américains épargneraient 9,6 millions de dollars par année en frais judiciaires. La perspective d'une telle perte de revenus fait sans doute frissonner les avocats qui vivent de causes de divorce, mais que dire de la souffrance du couple et des enfants plongés dans une bataille judiciaire?

La pension de réadaptation

L'une des grandes hérésies de notre régime de divorce, selon les secondes épouses, c'est de reconnaître à la première épouse le droit de bénéficier du soutien de son ex-mari pour le restant de ses jours. Puisque c'est à vingt-sept ans que les femmes sont le plus exposées au divorce (trente ans chez les hommes) et que leur espérance moyenne de vie est de soixante-dix-sept ans, la femme qui décide de ne pas se remarier et de ne pas travailler peut avoir droit au soutien de son mari pendant cinquante ans, avec la bénédiction de la loi.

En Floride, au Michigan et en Californie, on tient maintenant compte de l'âge de la femme et de sa capacité de gagner avant de décider du soutien qui lui sera attribué. La jeune mère bénéficiera d'une pension jusqu'à ce que ses enfants soient d'âge scolaire. À partir de là, on suppose qu'elle trouvera un emploi et subviendra à ses besoins. Les femmes âgées se verront aussi attribuer une pension de réadaptation qui leur permettra de se recycler et de réintégrer le marché du travail après des années à la maison. Fondamentalement, la pension de réadaptation est un soutien provisoire qui permet à l'ex-épouse de reprendre le dessus financièrement et de s'arranger pour ne plus dépendre d'un homme.

Les secondes épouses sont évidemment soulagées par ce régime qui leur laisse entrevoir le jour où leurs obligations financières seront moins lourdes. La pension de réadaptation fait cependant horreur à bien des législateurs. Ils croient fermement qu'une femme, une fois mariée, a droit au soutien de son mari, et que même divorcée, elle ne saurait travailler sans déchoir socialement et économiquement par rapport à son ancien statut d'épouse et de ménagère. Les secondes épouses, évidemment, voient l'affaire d'un tout autre œil. Elles estiment que si elles peuvent travailler pour contribuer à la pension de la première épouse, celle-ci est parfaitement capable de travailler pour subvenir à ses propres besoins.

Des précédents

L'affaire qui suit est devant les tribunaux de la Californie depuis trois ans. Elle révèle une nouvelle tendance voulant que tout, même l'intangible, soit sujet à revendication au moment du divorce.

Voici les faits. Les Sullivan se sont mariés en 1967 alors qu'ils fréquentaient tous deux l'université. Mme Sullivan a obtenu son diplôme un an plus tard, mais M. Sullivan a poursuivi ses études à l'école de médecine. De 1968 à 1972, dit-elle, elle a pourvu aux besoins de la famille. Puis elle a pris deux ans de congé de maternité et elle est retournée au travail en 1975. En 1977, le couple s'est séparé. Ils ont divorcé en 1978, peu après que M. Sullivan eut établi son cabinet de médecin. Mme Sullivan, analyste financière, touchait alors 35 000 $ par année. Le tribunal ne lui a pas accordé de pension, sous prétexte qu'elle était en mesure de maintenir le niveau de vie auquel elle avait été habituée durant son mariage. Il a toutefois enjoint à M. Sullivan de lui verser 250 $ par mois à titre de soutien de famille. L'affaire n'allait pas s'arrêter là. Mme Sullivan, qui était alors âgée de trente-cinq ans, décida de réclamer une compensation pour avoir aidé son mari à compléter ses études de médecine. Dans une cause qui fera jurisprudence, elle soumet à la Cour suprême que l'investissement qu'elle a consenti dans l'éducation de son mari lui donne droit d'en partager la valeur. Ses procureurs proposent que le brevet du Dr Sullivan soit considéré comme bien communautaire et qu'une partie (de 10% à 20%) de son revenu soit versé à sa première épouse. Le Dr Sullivan et sa deuxième épouse s'opposent à la réclamation, en invoquant, d'une part, qu'il a pourvu à 70% des frais du mariage et, d'autre part, que le mariage est dissout et que son ex-épouse n'a droit à rien de plus que ce qu'elle a obtenu dans le jugement de divorce.

Dans la même veine, la Cour d'appel du Michigan vient de décréter propriété conjointe la licence de droit d'un avocat, sous prétexte que son épouse avait contribué à défrayer ses études et qu'elle avait ainsi droit à une part de ses revenus après le divorce. Les trois membres du tribunal sont convenus que la licence de droit du mari devait être considérée comme propriété conjointe. Un tribunal de première instance avait accordé à l'épouse une compensation de 20 000 $ payable en dix ans, mais le tribunal supérieur a ordonné la révision de l'estimation de la valeur de la licence de droit en fonction du revenu que le mari *aurait* autrement pu espérer gagner. La différence entre les deux montants, multipliée par dix ans de vie matrimoniale et additionnée de la contribution de l'épouse aux études du mari, devait être partagée également entre les deux parties. Il va de soi que la somme dépasserait largement 2 000 $ par an. Il convient de mettre cette logique en question et de se demander comment le tribunal aurait réagi si le mari (qui était enseignant avant de faire ses études de droit) avait opté pour une profession moins lucrative. Son épouse aurait-elle accepté de déduire du montant de sa pension la moitié du revenu qu'il n'aurait pas touché? Le mari est-il puni pour avoir eu le talent et l'ambition de renoncer à l'enseignement pour faire ses études de droit? Il est intéressant de noter que, lorsque son mari était aux études, l'épouse gagnait 26 089 $ par année. On peut présumer qu'elle gagne davantage aujourd'hui. Pourquoi porter l'affaire devant le tribunal? Est-ce la vengeance? Elle n'est pas dans le besoin. Elle ne savait pas, lorsqu'elle s'est mariée, que son mari deviendrait avocat. Elle ne peut donc prétendre que ses attentes matérielles ont été trompées. Son attitude sent l'opportunisme.

La deuxième épouse n'est pas non plus à l'abri de la cupidité de la première, semble-t-il. Le cas suivant montre que la cour commence à prendre conscience de l'existence de la deuxième épouse puisqu'elle tient compte de son revenu lorsqu'elle fixe le montant de la pension que le mari devra verser à sa première épouse. Voici les faits. À Chicago, un tribunal de l'Illinois a augmenté la pension d'une femme sous prétexte que l'épouse de son ex-mari avait des revenus qui ajoutaient au trésor de la «famille». La seconde épouse, qui gardait deux enfants d'un mariage précédent sans soutien de son ex-mari, a voulu protester. Elle n'a pas été autorisée à témoigner même si c'était son revenu qu'on allait amputer au profit de l'ex-épouse de son mari.

De la même façon, un juge de l'Ontario a élevé le montant de la pension alimentaire d'une femme et de ses deux enfants en prenant en considération le salaire de la femme avec qui l'ex-mari vivait depuis deux ans. Il n'a cependant pas tenu compte du salaire du concubin de la première épouse, parce qu'elle a prétendu qu'il ne contribuait pas à son soutien.

Les deuxièmes épouses, on le voit, se font prendre au filet tendu par la première épouse au moment du divorce. Elles devraient veiller à protéger leurs biens contre le danger d'appropriation des premières épouses. Cela ne semble ni juste ni équitable mais c'est ainsi que les choses se passent actuellement, et les secondes épouses feraient bien d'être sur leurs gardes.

L'affaire Sullivan n'est pas réglée et continuera sans doute pendant des années de faire l'objet de procédures coûteuses. Où s'arrêtera-t-on? demande le Dr Sullivan. De toute évidence, vu la complaisance des tribunaux, l'affaire ne s'arrêtera jamais. Et s'il n'y a pas de fin pour le mari, il n'y en aura pas non plus pour la deuxième épouse.

CHAPITRE 11

Seconde épouse, deuxième choix?

Dans notre monde, semble-t-il, il vaut toujours mieux douter.

Hippolyte

Je me proposais, dans ce livre, de répondre à trois questions. Par ses mœurs, ses lois et ses coutumes, la société place-t-elle la seconde épouse dans un état d'infériorité? Le milieu immédiat de la deuxième épouse — mari, enfants, famille et amis — la traite-t-elle en inférieure du fait qu'elle est deuxième? Finalement, les deuxièmes épouses se considèrent-elles comme inférieures?

On a vu qu'en certaines circonstances les amis, la famille et surtout les enfants nés d'un mariage antérieur n'accordent pas à la seconde épouse tout à fait le même statut ni la même valeur qu'à la première. La société en est cependant la première responsable, parce qu'elle s'est laissé dépasser par les événements. Nos lois et nos mœurs considèrent encore la deuxième épouse comme accessoire dans la vie de l'homme et donnent primauté à la première épouse, même après le divorce.

Sur le plan culturel, nous avons du mal à accepter que l'homme (comme la femme, du reste) puisse avoir plus d'une partenaire et plus d'une famille dans le cours de son existence. Les mariages multiples sont une réalité sociale, mais l'opinion publique reste hostile aux deuxièmes épouses et à leurs enfants. La réponse à la question posée en tête de chapitre peut sembler évidente. Il importe pourtant de savoir non seulement ce que la société pense des secondes épouses, mais ce qu'en pensent les secondes épouses elles-mêmes. J'ai donc posé aux femmes de l'échantillon la question suivante: «Vous êtes-vous jamais sentie inférieure du fait que vous étiez la seconde épouse de votre mari?» Les réponses se sont partagées à peu près également: 47% ont répondu «oui»; 52% ont répondu «non».

Je me suis sentie inférieure pendant les deux premières années. Lorsque j'ai compris qu'il me respectait, j'ai réussi à chasser cette idée de ma tête.

Sa mère surtout me le fait sentir. Chaque fois qu'elle vient à la maison, elle dit des choses comme: «Quand il était marié...» Comme si son mariage avec moi ne comptait pas.

J'ai le sentiment d'être un deuxième choix parce que presque tout ce que nous possédons est de seconde main. Notre mariage est bâti sur les ruines de nos mariages précédents. Rien ne nous appartient, même pas «nos enfants».

Je me sens inférieure parce que nous vivons beaucoup plus modestement qu'il ne vivait avec sa première épouse. Elle a pratiquement tout raflé au moment du divorce et il a dû recommencer à zéro. Ce n'est pas comme partir de rien lorsque vous êtes jeunes et que toute votre vie est devant vous. Partir de rien lorsque vous êtes dans la quarantaine et que vous étiez habitués à un bon niveau de vie vous donne l'impression que vous êtes inférieurs et que votre mariage n'a pas la même valeur aux yeux de la société.

Sa famille et ses amis n'ont rien ménagé pour que je me sente inférieure, mais ça n'a pas marché parce qu'il me traite comme sa reine.

Je n'ai jamais eu l'impression d'être un second choix. Je me sens comme si nous avions toujours été mariés. Il n'y a jamais eu de première ni de deuxième fois, sauf, bien entendu, quand il est question des enfants.

Je pense que les deuxièmes épouses, dans l'ensemble, sont considérées comme des seconds choix non seulement socialement mais aussi légalement, parce que tout concourt à protéger la première épouse et ses enfants et que rien ne garantit nos droits. Nie-t-on aux divorcés le droit de se remarier?

Une bonne proportion de deuxièmes épouses ne se sentent pas inférieures. Leur situation matrimoniale n'est pas tellement différente de celle des premières, surtout s'il n'y a pas d'enfants du premier mariage et si elles sont soutenues par les amis et la famille. Les autres se sentent inférieures en raison principalement de la réaction de leur milieu immédiat. Elles ont heureusement le réconfort des maris, qui s'efforcent de les convaincre qu'elles ont la première place dans leur cœur. Soixante-neuf pour cent des deuxièmes épouses ont l'impression que leur mari les aime davantage que la première. Dix pour cent se sentent moins aimées, et 21 % disent qu'elles le sont autant.

Je pense que mon mari m'aime plus qu'il n'aimait sa première épouse. Je l'ai accepté avec ses défauts et ce qu'il croit être ses faiblesses, et j'ai consenti à élever son fils. En outre, j'ai accepté d'émigrer pour vivre avec lui.

Je ne sais pas s'il m'aime plus ou moins. Les temps changent, les gens aussi. On s'adapte. Je sais qu'il aimait sa première épouse et que maintenant il m'aime. Les gens changent et les circonstances aussi.

Qu'il m'aime plus ou moins, ça m'est égal. Le fait est qu'il est avec moi et moi avec lui. C'est ce qui compte.

Je pense qu'il nous aime différemment et pour des raisons différentes. Je lui conviens mieux aujourd'hui qu'elle ne lui conviendrait, voilà tout.

J'ai toujours cru qu'il m'aimait moins qu'il n'aimait sa première épouse. Peut-être est-ce parce que je romançais trop leur amour. Avant de répondre à cette question, je le lui ai demandé, et j'ai appris, à ma grande surprise, qu'il m'aime beaucoup plus qu'il ne l'aimait.

Leur relation les a tellement vidés, surtout avec les disputes et la rancœur du divorce, que je doute qu'il ait l'énergie de m'aimer davantage. Je n'ai jamais mesuré son amour et je n'ose pas le comparer à celui qu'il éprouvait pour elle, parce que je ne veux pas vraiment savoir.

Il m'aime moins, bien entendu!

Je sais qu'il m'aime davantage ou, en tout cas, qu'il le pourrait s'il ne perdait pas tant d'énergie à rager et à se culpabiliser à cause d'elle.

Certaines ont été surprises par la réponse à cette question. D'autres se sont montrées philosophes. Elles se concentrent sur le présent et se satisfont de la présence de leur mari comme preuve de son amour. Même celles qui se croyaient moins aimées n'avaient pas pour autant le sentiment d'être des seconds choix, mais considéraient simplement la chose comme une donnée de leur relation. Cela est particulièrement vrai des plus âgées et de celles qui se sont mariées pour des raisons de sécurité ou pour donner un père à leurs enfants plutôt que pour leur satisfaction émotive. Ce qui donne aux deuxièmes épouses l'impression d'être des seconds choix, c'est l'attitude du milieu extérieur, de la famille, des amis et des institutions légales et sociales, qui, par préjugé, leur inspire un sentiment d'infériorité pour avoir assumé ce rôle.

On s'accorde à dire que les problèmes fondamentaux qu'une deuxième épouse doit se préparer à affronter sont de source extérieure au mariage. Ils se rangent dans quatre catégories:

Les enfants du premier mariage	35%
La première épouse	26%
L'argent et le fardeau financier	21%
L'expérience négative du premier mariage	18%

Trente-huit pour cent des répondantes disent qu'elles étaient prêtes à affronter certains de ces problèmes au moment de se marier. Mais 60% disent qu'elles ne s'y attendaient pas et qu'elles n'étaient pas prêtes à y faire face.

Je pense que la femme qui marie un homme dont le mariage précédent s'est mal terminé (pour cause de divorce ou de décès) doit compter avec l'amertume ou le chagrin de son mari. Elle doit être forte, avoir confiance en elle et tenter de prodiguer autant de chaleur et de compréhension que possible pour disperser ces mauvais souvenirs.

Les trois obstacles que doit surmonter la deuxième épouse, ce sont les enfants du premier mariage, les difficultés financières, et la jalousie des enfants et de la première épouse. Je croyais être en mesure d'affronter ces problèmes, mais je me rends compte, avec le recul, que je les sous-estimais.

Les pires problèmes que doit affronter la deuxième épouse sont l'ingérence de la première épouse — aggravée chez nous du fait qu'elle est curieuse et qu'elle aime faire parler les enfants lorsqu'elle décide de nous rendre visite —, et les enfants du premier mariage, qu'on en ait la garde ou pas. Moi, j'étais disposée à élever les enfants comme s'ils eussent été les miens, puisqu'il en avait la garde, mais je ne m'attendais pas à l'ingérence de leur mère, à ses mensonges, à ce qu'elle me dénigre chaque fois qu'elle en aurait l'occasion, etc., alors que je faisais le travail qu'elle refusait de faire.

Ce qui m'est le plus difficile, c'est de le partager avec sa première épouse et avec ses enfants, et de rivaliser avec eux pour son attention. J'ai du mal aussi à éviter de me comparer avec sa première épouse, et cela m'a surpris, parce que je ne le faisais pas avant de me marier. C'est sans doute parce que je suis son «épouse» que je suis tentée de me comparer avec son autre «épouse».

Le fait que nous ayons moins d'argent parce qu'il était forcé de payer une pension nous a été pénible. J'ai eu du mal aussi à m'adapter aux perturbations que causaient dans le ménage les visites de ses enfants, d'autant qu'il m'était interdit d'intervenir dans leur comportement. Nous n'avons pas les mêmes idées, elle et moi, sur la manière d'élever les enfants. Il a été clairement établi, dès le départ, que je n'étais pas leur mère et qu'on ne tenait pas à mes opinions.

Le pire, c'est que nous n'avons jamais assez d'argent et qu'à cause de cela nous ne pourrons peut-être jamais avoir d'enfants. Il est pénible de savoir qu'on ne sera jamais la première dans sa vie. J'ai été surprise de l'apprendre. Pourtant, je me demande comment cela a pu m'échapper au début.

Je soupçonnais la difficulté de réunir dans une même maison les enfants de deux familles, mais je ne pensais pas qu'elle était aussi grande. Dans les circonstances, il défend les siens et je défends les miens, jour après jour.

La planification financière d'un second mariage est beaucoup plus complexe, à cause des obligations antérieures. Même si ce n'est pas un problème insurmontable, c'est à considérer.

J'ai eu du mal à me résigner au fait que, même s'il est censé être divorcé, il lui faudra toujours maintenir le contact avec sa première épouse à cause des enfants et à cause des arrangements légaux, qu'on croit toujours définitifs mais qu'il faut changer de temps à autre au gré des circonstances. Ainsi, chaque fois que nous achetons une maison ou que nous prenons des vacances, son ex estime qu'il devrait lui donner davantage. Il ne lui verse pas de pension, mais il donne des allocations de soutien aux enfants, et, apparemment, si son ex-épouse tombait malade et était incapable de travailler, il serait forcé de la soutenir pendant des années. Je comprenais qu'il lui fallait verser des allocations de soutien aux enfants, mais je ne m'attendais pas à ce qu'elle le traîne constamment devant les tribunaux pour réclamer plus d'argent. Depuis que nous sommes mariés, ses paiements de soutien ont doublé!

Il est facile de comprendre pourquoi les femmes sont prises au dépourvu par ce qui leur arrive après le mariage. La plupart d'entre nous avons une connaissance limitée des lois qui gouvernent le divorce et la garde des enfants. Nous avons tendance à penser que le divorce met vraiment fin au mariage et que la relation financière entre le mari et son ex-famille restera plus ou moins stable. Les femmes sont plutôt surprises de découvrir que plus leur mari et elles gagnent cher, plus ils risquent de payer cher en allocations de soutien. À moins d'avoir eu l'expérience d'un second mariage, il est difficile d'imaginer quels problèmes se poseront, parce que nous avons l'impression que le mariage est toujours de même nature, qu'il soit le premier ou le deuxième.

Chez certaines, la réalité de la condition de deuxième épouse peut être une source de cruelle déception en ce qui concerne leur mariage. la plupart ne cessent pas pour autant d'aimer leur mari, mais elles souhaiteraient modifier les circonstances. C'est pourquoi j'ai demandé aux femmes de l'échantillon: «Auriez-vous souhaité être la première épouse de votre mari?» Un peu plus des deux tiers ont répondu «oui». Cela indique bien que ce n'est pas le mari mais la situation qui est à l'origine de la plupart des problèmes qu'affronte la deuxième épouse.

Oui, bien sûr. Je sais, évidemment, que, s'il n'avait pas été marié à elle, il serait différent de l'homme que j'aime maintenant. Mais, parfois, je souhaiterais qu'il ait simplement vécu avec elle plutôt que d'avoir été marié. Il n'y aurait pas alors de chicanes légales ni d'obligations (ni, j'espère, d'enfants). La vie serait tellement plus facile. Nous n'aurions pas de gros problèmes.

Je souhaiterais avoir été là quand il était plus jeune, pour lui enseigner à jouir de la vie. Il s'est plongé dans le travail pour fuir un mariage malheureux, et je pense qu'il n'a jamais vraiment appris à s'amuser et à se relaxer.

J'ai l'impression que son premier mariage lui a causé un tort irréparable. Même si nous sommes ensemble maintenant, il a des blessures qui ne guériront jamais et nous en souffrons tous les deux.

Ce ne sont pas toutes les premières épouses qui souhaiteraient avoir été les premières. Certaines sont assez franches pour reconnaître qu'elles préfèrent leur situation actuelle.

Je suis contente de ne pas avoir été sa première épouse. Je n'aurais pas pu le supporter lorsqu'il était jeune. Elle n'a pas pu non plus, apparemment!

Qu'auraient-elles gagné à avoir été les premières, si l'on fait abstraction des soucis financiers, des ex-épouses et des enfants qui viennent compliquer leur vie? L'avantage est souvent plus illusoire que réel, dans l'esprit des secondes épouses. Voici quelques exemples de ce que les deuxièmes épouses croient avoir manqué:

Parce qu'il a déjà été marié, j'ai rarement l'occasion de me montrer telle que je suis. J'essaie de ne pas répéter les erreurs de l'autre, et parfois, je me perds à ce jeu.

Je crains de ne jamais établir une relation étroite et heureuse avec ses parents parce que je suis sa seconde épouse.

J'aurais aimé que nous puissions avoir du temps ensemble avant d'assumer la responsabilité d'une famille (la sienne). Nous aurions pu voyager et nous connaître, plutôt que de toujours nous voir à table, séparés par quatre enfants.

Je pense que ce qui me manque le plus, ce sont les années que nous aurions pu passer ensemble. Comme il est plus âgé que moi, je suis presque certaine d'être veuve, et je n'aurai pas la chance de vieillir avec lui. Je n'arrive pas à me débarrasser de cette idée, et les gens ne m'y aident pas quand ils abordent le sujet ouvertement et disent des choses comme: «Penses-tu que tu vas te remarier?»

Malgré leur impression d'avoir été privées de certains plaisirs en étant les deuxièmes, 67% des femmes de l'échantillon disent qu'elles referaient la même chose si elles en avaient l'occasion, pourvu que ce soit avec le même homme.

J'aimerais être mieux informée sur les questions de divorce, de règlements, d'enfants, etc. Mais, avec le même homme, je n'hésiterais pas à me remarier.

J'espère que je serai moins naïve la prochaine fois. Si j'avais mieux su ce que ça implique et quels problèmes sont susceptibles de se poser, les choses se seraient mieux passées.

Si je l'aimais autant, je n'hésiterais pas, mais je ferais très attention de ne pas m'éprendre d'un divorcé avec des enfants.

Je ne pense pas que je me remarierais. Point final!

Je vivrais peut-être avec lui, mais je ne pense pas que je l'épouserais s'il payait encore une pension et des allocations de soutien aux enfants. Il y a un certain mérite à être affranchie des responsabilités — émotives et financières — des autres.

Il est réconfortant de savoir qu'en dépit des inconvénients de l'état de seconde épouse, nombreuses sont celles qui ont assez bien réussi à composer avec leurs problèmes pour dire qu'elles s'embarqueraient de nouveau si elles en avaient l'occasion. Il est évidemment facile de dire comment on réagirait dans une situation donnée quand on sait qu'elle risque fort de ne jamais se présenter. Mais le fait que ces femmes aient assez confiance en leur mari et en leur mariage pour dire qu'elles recommenceraient donne à penser que leur sort n'est finalement pas si misérable. Qu'y a-t-il donc d'enviable dans cette situation? Pourquoi 80% des femmes de l'échantillon disent-elles qu'elles considèrent leur ménage comme heureux, malgré toutes les pressions auxquelles il est soumis? Voici, par ordre de priorité, la liste des avantages que les secondes épouses attribuent à leur état.

Mari plus âgé et plus sage	20%
Tient davantage au succès du mariage	19%
Mari plus attentif	16%
A tiré la leçon de ses erreurs	10%
Sécurité matérielle*	5%

Voici comment les femmes décrivent les avantages de leur état:

Le mari sait ce qui ne va pas parce qu'il est déjà passé par là. Il fait attention la deuxième fois. Un second divorce n'aiderait pas sa réputation (ni son portefeuille). Il veut vraiment que ça réussisse.

La relation est plus saine. Elle se fonde sur l'amour, le respect et la compréhension. On ne se marie pas seulement pour faire l'amour et découvrir ensuite qu'on est incompatible.

Il sait ce que c'est que de vivre avec une femme, une vraie, pas une pin up de magazine. Il ne s'étonne pas de te voir sortir du lit sans maquillage et avec des rouleaux sur la tête. Tu n'as pas à être parfaite. Il sait que tu ne l'es pas. C'est plus simple que de tenter d'être sexy vingt-quatre heures par jour.

Les hommes s'adoucissent avec l'âge et on en profite. Ils sont moins exigeants et beaucoup plus faciles à vivre.

Quelle que soit la façon dont le milieu les perçoit, les secondes épouses, elles, ne se perçoivent généralement pas comme des seconds choix. Elles peuvent toutefois sentir que leur situation ne les favorise pas. Elles connaissent les avantages et les désavantages de leur situation, et on a vu que, si elles ne sont pas toujours ravies d'être deuxièmes, elles n'hésiteraient pas, pour la plupart, à reprendre le même chemin avec le même homme. Peut-être le second mariage est-il finalement le meilleur!

---

* Il est plus sécuritaire d'épouser un homme dont la carrière est établie plutôt qu'un étudiant ou un homme en début de carrière, en particulier s'il n'a pas d'enfants ou si son ex-épouse est remariée.

CHAPITRE 12

L'Association des secondes épouses d'Amérique du Nord

De la famille à la nation, chaque groupe humain est une société d'univers isolés.
Aldous Huxley

C'est un trait fascinant de la condition humaine que, même dans les situations les plus noires, on continue d'espérer des jours meilleurs ou quelque effet positif. Les femmes qui ont participé à cette étude en témoignent éloquemment. Quelque douloureuse qu'ait été leur expérience, elles ont espoir que leur situation s'améliorera ou, à défaut, que d'autres pourront en tirer un enseignement profitable.

Aussi ai-je décidé d'inclure dans la rédaction finale du questionnaire une question supplémentaire permettant aux répondantes de résumer leurs sentiments ou d'ajouter des commentaires personnels ne faisant pas partie du corps de la recherche. La question 110 se lisait comme suit: «Qu'avez-vous ressenti en remplissant ce questionnaire, et pourquoi l'avez-vous rempli?»

J'étais curieuse de savoir pourquoi les répondantes avaient rempli et retourné le questionnaire. Certes, on m'en a retourné moins que j'en avais distribué, mais la réponse a été très bonne. Certaines ont sans doute jugé les questions trop personnelles ou estimé qu'il leur faudrait trop de temps pour y répondre, mais un nombre étonnant ont consenti le temps et l'effort nécessaires pour remplir ce qui est un long questionnaire pour un tel sondage. Plusieurs ont livré des sentiments qu'elles n'avaient confiés à personne et qu'elles ne s'étaient peut-être même pas avoués. Toutes ont été d'une grande franchise, ne cherchant ni à dissimuler ni à maquiller les faits. Je voulais savoir pourquoi elles s'ouvraient à moi, une étrangère. Manifestement, elles attachaient beaucoup d'importance à leur état de deuxième épouse et y avaient longuement réfléchi avant de recevoir le questionnaire.

Dans les pages suivantes, vous verrez pourquoi certaines ont accepté de participer au sondage. Les unes disent que l'expérience leur a servi d'exutoire en leur permettant de se vider le cœur. Les autres disent qu'elle leur a permis d'exprimer leur malaise et leurs sentiments profonds sans s'identifier, donc sans risque. Presque toutes celles qui ont répondu à la dernière question disent que l'expérience leur a profité et souhaitent que leur collaboration en aide d'autres à venir à bout de leurs difficultés. Quel que soit leur motif, les répondantes donneront espoir à des millions d'autres femmes comme elles ou leur apprendront au moins qu'elles ne sont pas seules.

Ça m'a fait du bien de remplir le questionnaire, mais c'est surtout la curiosité qui m'a poussée à le faire. Je voulais voir comment je réagirais aux questions. Je suis très contente des résultats. Mon mari et moi l'avons d'abord regardé ensemble, puis je l'ai rempli toute seule et n'ai changé ensuite aucune réponse.

C'est dur de faire fonctionner un mariage. Surtout un deuxième. On doit y donner plus qu'on en retire. Je vois où je me suis trompée la première fois et j'essaie de ne pas répéter les mêmes erreurs. Nos mariages précédents se sont effondrés parce que l'autre conjoint a eu une aventure. C'est une affaire qui nous chavire quand on croit avoir été une bonne épouse et une bonne mère. Mais il faut être deux pour rompre un ménage. C'est tellement mieux la deuxième fois, et j'aimerais que tout le monde le sache.

C'est surtout par curiosité que j'ai rempli le questionnaire. Autant que je sache, personne ne s'est jamais intéressé à la seconde épouse. Dans tout ce que j'ai lu à propos du divorce, il était surtout question de la pauvre mère, seule à élever les enfants, alors que c'est probablement plus dur pour le pauvre père qui doit abandonner ses enfants dans la plupart des cas. Je voulais que les gens connaissent l'autre côté de la médaille.

Je vous ai entendue à la radio, mais je n'ai pas appelé, de crainte qu'on reconnaisse ma voix. J'étais réconfortée de savoir que je n'étais pas seule à affronter le problème, même si je n'ose pas souvent faire part de mes émotions. Tant de gens m'ont parlé de leurs problèmes sans savoir que j'en avais moi-même que je n'arrivais pas à régler. Je crois avoir rempli honnêtement le questionnaire, même si certaines questions commanderaient tout un manuscrit. J'espère que mes réponses profiteront à quelqu'un.

J'espère que mes commentaires vous aideront dans votre recherche et aideront d'autres femmes qui sont dans la même situation. Mon mariage a échoué.

Je suis contente d'aider quiconque est aux prises avec les difficultés d'un second mariage. Les gens ont peur de parler honnêtement de leurs problèmes. Peut-être est-ce parce qu'ils ne veulent pas que les autres sachent qu'ils ont encore des «problèmes de ménage» et pensent qu'ils n'arrivent finalement à s'entendre avec personne. Je crois que le second mariage pose toute une série de problèmes qui n'existent pas dans le premier, du fait surtout des enfants. Avec le temps, peut-être les gens remariés en deuxièmes et en troisièmes noces formeront-ils des groupes d'entraide pour discuter franchement de leurs problèmes et se soutenir mutuellement.

Je vous ai entendue à une tribune radiophonique. Ce que vous disiez était très intéressant et s'appliquait fort bien à ma situation. Parfois, je me dis que nous n'aurions jamais dû nous marier, mais quand je ne suis pas avec lui je souffre terriblement. Être deuxième épouse n'est pas facile, mais je me considère chanceuse qu'il ne me compare jamais — ni dans notre vie sexuelle ni dans ma façon de cuisiner ou d'entretenir la maison — avec sa première épouse. Nous avons beaucoup de problèmes, mais je suis sûre que nous pouvons les régler presque tous. Avec de l'amour et de la compréhension de part et d'autre, les choses s'arrangent toujours. J'ai beaucoup aimé le questionnaire.

Je suis sûre que j'ai rempli le questionnaire pour les mêmes raisons que les autres, c'est-à-dire pour éclairer celles qui envisagent de se marier en secondes noces. Si je réussissais à en faire changer une d'avis au sujet du mariage avec un homme qui a déjà été marié et qui a des enfants, *je serais satisfaite. J'insiste sur les enfants, parce que j'estime que ce qui s'applique à l'homme qui a des enfants ne vaut pas forcément pour celui qui n'en a pas. J'estime que le mariage avec un homme qui a déjà été marié et qui a des enfants a autant de chances de réussir que le mariage avec un homme qui n'a pas de passé. Merci de m'avoir donné l'occasion de remplir le questionnaire. J'ai adoré cela!*

J'ai rempli le questionnaire parce que si je pouvais éviter à une seule femme l'enfer que j'ai dû traverser, ça vaudrait le coup. Ce mariage nous a presque tués, mon fils et moi.

Parfois, je pense que je devrais écrire un livre à propos de mon expérience. Nous avons traversé d'innombrables crises et j'ai finalement ma vie en main. Nous sommes ensemble parce que nous voulons être ensemble. Les six enfants s'entendent bien entre eux, ils m'acceptent et nous nous efforçons de les traiter tous d'une manière égale. C'est très difficile, parce que le sang bout plus vite que l'eau et, à moins d'être passé par là, on ne sait pas comment on réagira. Je n'ai pas rempli le questionnaire simplement pour vous faire part de ma vie personnelle, mais pour que les autres sachent qu'elles ne sont pas seules dans leur situation. J'aimerais beaucoup rencontrer d'autres deuxièmes épouses de la région et échanger des idées avec elles.

Je sais que nous sommes plus vieux que la plupart des répondants, qui sont sans doute dans la vingtaine et la trentaine. Mais j'ai pensé qu'il vous serait utile de connaître l'opinion de gens plus mûrs (j'ai cinquante-huit ans, mon mari en a cinquante-neuf). Je pense qu'il y a beaucoup de différence entre une personne divorcée et une veuve. Je n'ai pas de souvenirs doux-amers de mon premier mari, parce qu'il est mort. Je pense que le climat social d'aujourd'hui ne facilite pas les choses dans le ménage, et je pense que les jeunes gens devraient faire des efforts pour préserver leur mariage plutôt que de se désister au premier coup dur.

Le questionnaire m'a aidée à identifier mes sentiments et à les partager avec d'autres femmes. Depuis que je vous ai entendue dire à la télévision que les enfants étaient souvent une source de problèmes, je me sens moins coupable. J'aimerais aussi connaître les opinions d'autres femmes se trouvant dans la même situation. Peut-être que plusieurs problèmes communs peuvent se régler avant le mariage. Je suis contente d'apporter ma contribution au projet. Mon mari et moi souhaiterions tous deux connaître le résultat de vos recherches.

Tandis que je remplissais le questionnaire, je me disais que je n'allais peut-être pas le retourner. Les questions m'ont rappelé plusieurs des difficultés que j'ai éprouvées, surtout durant les deux ou trois premières années de mon mariage. Si j'avais su ce qui m'attendait avant de me marier, j'aurais peut-être consulté un psychiatre. Si votre ouvrage peut aider les femmes à mieux se préparer à affronter les difficultés causées par les enfants, la famille, l'ex-épouse, etc., je considérerai que le temps que j'ai mis à remplir le questionnaire a été bien employé.

J'ai adoré remplir le questionnaire car il m'a forcée à réfléchir. J'estime que la seconde épouse est très isolée. Ayant décidé de me marier, j'essaie d'en tirer le maximum et je ne parle de mes problèmes à personne. Par fierté, sans doute. J'ai cherché des ouvrages susceptibles de m'aider, mais je n'ai pas trouvé grand-chose de valeur. La deuxième épouse a besoin d'informations. J'espère que mes réponses vous seront utiles et serviront aussi aux autres.

Je suis sa deuxième épouse et il est mon deuxième mari. La période difficile se situe d'ordinaire entre le 18ᵉ et le 24ᵉ mois, dites-vous. Nous sommes mariés depuis 19 mois et j'espère que ça ne va pas empirer. J'ai rempli le questionnaire de mon mieux et je serais très curieuse de connaître le résultat de vos recherches. Il y a peu d'ouvrages sur le sujet et peu de sources de conseil et de réconfort.

Je vous ai entendue à la radio et je brûlais de remplir le questionnaire. Nous ne sommes mariés que depuis trois mois mais nous vivons ensemble depuis deux ans. Durant cette période, j'ai vécu bien des situations qui m'ont fait remettre en question notre relation. D'abord, je croyais que c'était ma faute, que j'étais jeune et naïve, et trop sensible (j'ai seize ans de moins que mon mari). Après vous avoir entendue, je sais qu'il ne s'agit pas que de moi. Merci de vos lumières. Je suis heureuse d'avoir pu vous aider dans votre recherche.

J'ai trouvé fort encourageant d'obtenir ce genre d'appui et de voir que les deuxièmes épouses se préoccupent non seulement de leur sort mais de celui des autres. Il est évident qu'elles ont besoin de communiquer pour se libérer des pressions qu'elles subissent. Plusieurs des femmes qui ont rempli le questionnaire se sont adressées à moi pour savoir s'il existait un groupe ou une association par l'intermédiaire duquel elles pourraient obtenir de l'information ou repérer d'autres deuxièmes épouses dans leur région afin d'organiser des rencontres.

Il n'existe pas de telles organisations. Personne, semble-t-il, ne juge les problèmes des deuxièmes épouses assez importants pour mettre sur pied une association qui s'emploierait à les résoudre. Pourtant, toutes sortes d'autres groupes qui s'intéressent aux problèmes de la famille font parler d'eux presque quotidiennement dans les journaux et les périodiques. La lettre qui suit a été publiée dans le courrier des lecteurs du New York Times Magazine en réponse à un article intitulé «Le drame des divorcées grises»:

> *J'ai été abandonnée à cinquante-cinq ans après trente-trois ans de mariage. «Le drame des divorcées grises» illustre bien la situation. Il y a six ans, lorsque j'ai commencé ma vie solitaire, j'aurais bien aimé trouver un groupe comme Divorce After 60 d'Ann Arbor... Quoi de plus facile pour l'homme à la recherche de sa jeunesse perdue que d'abandonner son épouse grisonnante pour une plus jeune.*

L'article a suscité beaucoup d'échos de ce genre de la part des lecteurs. Les groupes comme Divorce After 60 d'Ann Arbor ne sont pas rares. Aux États-Unis, il y a aussi plein de groupes subventionnés qui s'occupent des problèmes des femmes divorcées. LADIES (Life After Divorce Is Eventually Sane) en est un récent qui se compose d'ex-épouses de vedettes qui estiment que le divorce a fait d'elles «l'objet de la risée, de la pitié et du mépris publics». (LADIES a eu la chance de beaucoup faire parler de lui dans les médias). Il m'a donc semblé logique de former l'Association des deuxièmes épouses d'Amérique du Nord, ou SWAN (Second Wives Association of North America), puisqu'il n'existait pas de tribune pour les deuxièmes épouses.

L'Association en est encore à ses premiers pas. Elle comptait environ 400 membres au moment de la publication de ce livre, mais elle grandit au Canada et aux États-Unis. SWAN se prononce sur toute question pertinente à la situation des deuxièmes épouses (par exemple, tout changement aux lois de la famille touche de très près les deuxièmes épouses parce que tout ce qui affecte la relation de leur mari avec son ex-famille est susceptible de les affecter). Les deuxièmes épouses écrivent souvent à l'Association pour se renseigner sur des sujets qui les touchent particulièrement ou pour suggérer divers champs d'exploration. On voit, d'après leurs lettres, qu'elles commencent à penser en termes collectifs et ne se croient plus forcées comme auparavant de supporter leur malheur dans le silence.

SWAN a été bien accueillie. Les deuxièmes épouses commencent à se rendre compte que les difficultés qu'elles éprouvent dépassent les frontières de leur ménage. Le premier pas vers la solution du problème, c'est de prendre conscience qu'il est largement répandu. Maintenant que les deuxièmes épouses comprennent qu'elles n'ont pas à subordonner leurs droits et leurs besoins de femmes et d'épouses à ceux des autres, on peut commencer à corriger la situation et faire en sorte que la deuxième épouse ne soit plus une citoyenne de deuxième classe.

Sans doute l'essentiel de cet ouvrage déplaira-t-il à bien des gens. Ils continueront de soutenir la cause de la première épouse et de ses enfants à l'exclusion de toutes les autres et se justifieront moralement de sacrifier le mari et sa deuxième épouse. Le mot «sacrifier» n'est pas trop fort. Certaines, on l'a vu, sont tout simplement incapables d'accepter les injustices dont elles sont victimes et abandonnent un mariage qui, autrement, aurait pu réussir. Le but de cet ouvrage n'est pas de nier les droits de l'épouse et des enfants du premier mariage, mais d'amener la société à reconnaître le fait que des gens se remarient et que les deuxièmes épouses devraient avoir autant de droits et de privilèges que les premières. C'est aussi simple que cela.

Nous avons tous notre conception du mariage. Réduit à sa plus simple expression, c'est l'union de deux êtres qui tiennent suffisamment l'un à l'autre pour vouloir partager leur vie, fonder une famille et créer des liens dont ils tireront force et bien-être. À cette fin, nos lois et nos conventions concèdent aux parties un droit de priorité et une sorte d'exclusivité l'une envers l'autre, sur les plans émotif, physique et matériel. Mari et épouse ont des droits et responsabilités que ne confère aucune autre forme d'union dans notre société. Pour bien des secondes épouses, cependant, le foyer conjugal est un champ de bataille peuplé d'étrangers qui exercent une énorme influence sur leur vie. Elles n'ont pas l'exclusivité de leur mari et ne sont pas prioritaires dans sa vie, même si leurs responsabilités peuvent être beaucoup plus lourdes. Souvent, elles constatent que la situation ne risque pas de s'améliorer mais de persister indéfiniment. La situation des deuxièmes épouses est donc fort différente de celle des premières. La plupart s'y résignent, pour préserver leur ménage, mais certaines ne l'acceptent pas.

Les deuxièmes épouses ne veulent ni plus d'argent ni moins d'enfants ni plus de sécurité. Elles veulent occuper la première place dans la vie de leur mari et vivre avec lui normalement. J'espère qu'en faisant la lumière sur les injustices dont elles sont victimes, ce livre fera évoluer la situation de manière à ce qu'elles jouissent un jour des mêmes droits que les premières épouses et puissent tirer la même satisfaction de leur mariage. Il est grand temps de reconnaître que toutes les femmes sont égales et méritent le même traitement.